«Nous sommes là pour être chiants et emmerdeurs. Et ce n'est pas vrai que c'est une tâche facile. C'est bien plus difficile d'être en désaccord et d'expliquer pourquoi, que de laisser aller les choses béatement.»

JOHN SAUL (*Les Bâtards de Voltaire*)

Données de catalogage avant publication (Canada)

Jasmin, Claude, 1930-
Gilles Proulx - Portrait d'un tirailleur tiraillé
    ISBN 2-7604-0463-3
    1. Proulx, Gilles, 1940 - 2. Journalistes de
radio - Québec (Province) - Montréal -
Biographies. I. Gingras, Pierre-Philippe. II. Titre.

PN4913.P76J37 1994   070.1'94'092   C94-940741-0

Photo de la couverture: Jean-Marie Bioteau
Conception graphique et montage: Olivier Lasser

Les éditions internationales Alain Stanké bénéficient du soutien financier du Conseil des Arts du Canada pour leur programme de publication.

ISBN 2-7604-0463-3

Dépôt légal: deuxième trimestre 1994

IMPRIMÉ AU QUÉBEC (CANADA)

GILLES PROULX

CLAUDE JASMIN
PIERRE-PHILIPPE GINGRAS

GILLES PROULX

PORTRAIT D'UN TIRAILLEUR TIRAILLÉ

Stanké

Introduction

Il y a au moins trois catégories de lecteurs pour ce livre sur Gilles Proulx: ceux qui le détestent, ceux qui l'écoutent régulièrement le midi à la radio et enfin, beaucoup plus nombreux, tous ceux qui l'aiment, qui l'estiment bon aboyeur aux injustices du monde qui se fait. Les petites injustices qui, comme les grandes, peuvent pourtant pourrir l'existence, celles qui font la une des journaux du matin.

Gilles Proulx règne désormais en maître tous les midis à la radio des commentaires. On ne parle pas de quelques centaines d'auditeurs fidèles, mais de plusieurs milliers d'amateurs de ses interviews piquantes, de ses opinions tranchantes, de ses commentaires acidulés, de ses interventions improvisées. Certains jours «de rage et de colère», ils sont près de 500 000 assidus, révoltés avec le célèbre animateur ou amusés par ses facéties exacerbées, ses caricatures verbales, excités par ses charges à fond de train. Des citoyens, simples payeurs de taxes, s'indignent avec lui de l'ineptie des gouvernants, de la bêtise des bureaucrates protégés ou de l'imbécillité crasse d'un acteur de l'actualité, quel qu'il soit. Ils admirent ou se scandalisent, s'emportent ou se défoulent.

Il y aura 10 ans, le 18 juin 1994, que Gilles Proulx s'aiguise les crocs et les griffes sur ses cibles favorites: ministre grouillant dans le népotisme ou la mégalomanie, chef de police trop bienveillant, maire manipulateur. Dix ans qu'il gueule comme diable en eau bénite ou comme justicier indigné, alors que personne ne sait trop d'où il sort, où il a débuté, comment il a gagné ses épaulettes, qui furent ses parents, ses premiers amis et amours, ses dénigreurs, ses supporteurs.

Gilles Proulx nous a ouvert sa porte, ses albums de famille et de carrière, scrupuleusement constitués et conservés par Mireille Bouchard de CKVL, aujourd'hui décédée, et par Carole Picard, de CJMS. Cela nous a conduits dans sa petite patrie du sud-ouest de Montréal où il nous a fait des confidences, a accepté de répondre à nos questions même les plus impertinentes, les plus saugrenues. Vous allez constater que celui qui fait peur aux potentats, qui agace les intendants des pouvoirs établis, qui écœure les puissants d'une mode, qui fait fuir des attachés de presse cachottiers et complices et qui rend muets des ministres, celui qui énerve les mondains et les snobs, que ce franc-tireur des ondes vient de loin...

Gilles Proulx n'est pas né avec une cuillère en argent dans la bouche. Il aurait pu devenir un quidam enterré sous son destin banal, mécanicien dans un garage ruiné, traceur en dessin industriel dans une usine vacillante, gérant dans un supermarché, directeur modeste dans une station de radio provinciale ou annonceur de nuit dévoué et servile dans un poste périphérique. Il a fait tout cela et il a refusé tout cela. Et bien plus encore. Proulx, chaque fois, se secouait. Chaque fois, il a décidé: «Non, je ne reste pas là.»

Vous allez explorer l'existence d'un jeune homme qui tourne le dos à la banalité, écoute des conseillers utiles, admire certains meneurs et, soudain, retourne aux études. Autodidacte farouche, Gilles Proulx s'est débattu pour devenir, en 30 ans de métier, en 30 ans d'expériences désolantes et stimulantes, la redoutable grande gueule des ondes québécoises.

Il sait depuis quelques années qu'il est craint, détesté, vomi même par les planqués et les snobs. Mais il sait aussi qu'il est aimé par tous ceux et celles que l'on bafoue, que l'on malmène, que l'on taxe et surtaxe. Tous les midis, des milliers de ces petites gens comptent sur l'ancien gamin de Verdun, sur le petit *bum* qui défiait les *Blokes* vainement, sur le fugueur du pensionnat de Longueuil qui se souvient de ses modestes origines, de son passé agité et complexe, de ses frasques et de son travail acharné dans le corridor étroit de la réussite.

Et quand le démon du midi se change en «*doctor* Proulx» et «*mister* Gilles», ça risque de chauffer...

CLAUDE JASMIN
PIERRE-PHILIPPE GINGRAS

1

TRENTE
LONGUES ANNÉES...

— You fucking French Canadians are a whole bunch of assholes... You don't scare me... You're just a French Pea Soup...

Les deux jeunes hommes attablés au restaurant *Prince George*, coin Rielle et Wellington à Verdun en ce début de nuit d'été 1961, ne supportent guère ce genre de remarque! À la table d'à côté, quatre têtes carrées continuent de vomir sur le Québec!

— If you ever get separated, you'll starve with your biscuits Viau...

Celui qui provoque sans arrêt est une véritable armoire à glace! L'atmosphère s'alourdit... Des regards chargés de haine et de vengeance se croisent. La serveuse tente de calmer les ardeurs. Peine perdue. L'un des deux jeunes, le plus petit, se lève et s'avance d'un pas décidé vers cet Anglophone qui crache au visage des Québécois. On distingue mal ce que le jeune homme camoufle dans sa main droite... Le bonhomme n'a pas le temps de faire un geste: il reçoit en pleine figure le contenu d'une poivrière!

Aveuglé, fou de rage, il essaie d'attraper le jeune baveux d'à peine 20 ans qui a osé s'attaquer à lui, ce jeune *Frenchie* qui l'a poivré! Des chaises basculent, la vaisselle éclate. Le patron est déjà au téléphone tandis que le trio se retrouve dehors. L'homme aux yeux rougis par le poivre esquive les coups alors qu'une auto de police s'arrête brusquement près du trottoir. Le policier, un certain Naphtalie Gauthier, s'interpose et tente de mettre fin à la bagarre:

– Hé, le jeune, j'te connais toé! C'est quoi déjà ton nom?
– Moi, c'est Gilles Proulx...

Ce soir-là, accompagné d'un plus costaud que lui, son ami Jean Martel, qui l'encourageait à quitter les lieux le plus rapidement possible avant de se faire écraser, Gilles Proulx était fidèle à lui-même: franc, direct et prêt à tout pour défendre ses convictions. Déjà, il ne craignait pas d'affronter des plus gros et des plus grands que lui, de braver la tempête malgré sa petite taille et de foncer, lutter, résister afin de protéger son Québec, ses droits et sa langue française.

S'il cherche parfois, souvent même, l'affrontement, Gilles ne se dérobe jamais devant l'adversaire, aussi puissant soit-il. Nul ne maîtrise aussi bien l'art subtil de se faire des ennemis...

Dans les studios de CJMS, où il anime depuis 10 ans son émission quotidienne *Le Journal du midi*, Gilles Proulx cultive l'arrogance et la provocation, dressant autour de lui des remparts d'indifférence derrière lesquels seuls quelques rares proches se voient parfois accorder le privilège d'approcher la bête. Çà et là dans les couloirs de la station, on peut entendre quelques commentaires élogieux sur l'animateur vedette: «Le fou se défoule»; «Le singe est encore grimpé dans les rideaux»; «Le monstre est déchaîné»; «La bête est dans sa cage». Gilles s'en offusque-t-il?

– Bof! pas de quoi fouetter mon chien Kiki...

Certains de ses camarades de travail l'aiment bien et s'amusent à le taquiner... quand le temps est au beau fixe!

– Mais quand il n'est pas là, de lancer à la blague le journaliste Pierre Cantin, il nous arrive parfois, pas souvent, de nous ennuyer de lui...

Désormais, Gilles Proulx est seul au faîte du palmarès dans son domaine. Il règne. Il trône.

– Enfin! souffle-t-il. J'ai vécu un long temps comme numéro deux. On me comparait sans cesse à mon frère Jacques, ultra-populaire jadis. Deuxième longtemps, le midi, quand l'animateur Pascau était rivé à la puissante antenne de CKAC. Il était temps que je sois enfin numéro un.

Veut-on quelques exemples de sa popularité? En mars 1994, il a attiré plus de 800 personnes, à 60 $ le billet, lors d'un bien-cuit organisé en son honneur au profit des jeunes de Verdun. Invité à présider les fêtes de la Saint-Jean dans la ville de Saint-Hubert, Gilles Proulx lance un appel en ondes et regroupe pas moins de 50 000 personnes, contrairement aux 10 000 fidèles qui assistaient aux célébrations les années précédentes! Le lendemain, le journal *La Presse* rend compte de l'événement en page frontispice, mais ne souffle mot sur Gilles Proulx! Dernier exemple, un homme d'affaires de Verdun, Eddy Vigneault, l'interpelle en ondes durant la Semaine sainte:

– Le curé de la paroisse Notre-Dame-du-Bon-Secours m'a lancé le défi de remplir son église dans le temps de Pâques. Mais j'en suis incapable... Nous sommes dans un quartier où il y a beaucoup de clochards, où la misère règne, où les gens ont peur de se rendre même à l'église. Monsieur Proulx, pouvez-vous m'aider?

C'est un vendredi. Le fervent annonce sur les ondes de CJMS qu'il assistera à la messe le dimanche suivant et invite la population du quartier à faire de même. Le curé de la paroisse n'en croit pas ses yeux: quelque 600 personnes s'entassent dans son église tandis que les marguilliers refusent du monde à la porte!

Certains nouveaux personnages publics font des pieds et des mains auprès de leur relationniste pour se faire interviewer – à leurs risques et périls pourtant – par Proulx le midi. Ils savent fort bien que leur message serait entendu pas des centaines de milliers d'auditeurs. Proulx n'est pas dupe. Il lui arrive de faire le bec fin, le capricieux, de retarder certains arrivistes frétillants et insistants au portillon de son équipe:

– J'ai attendu plus de 30 ans! Trente longues années à guetter mon tour, à tout essayer pour me bâtir un nom, une réputation, pour faire en sorte que ma présence ne soit pas noyée dans la cohorte des commentateurs de la forêt des stations radiophoniques du territoire. Il y a trop de stations en regard de la population. Mais, en bout de ligne, c'est une anomalie qui dessert tout de même l'auditeur.

Gilles Proulx admet avoir parfois dépassé certaines bornes... Mais au fil des ans, il s'est construit tout un système d'amusantes apostrophes. Polyvalent, il sait se faire arrogant pour déstabiliser, renverser, égratigner ou piquer au vif tous ces fieffés planqués aux pouvoirs divers. Sa longue expérience, sa fréquentation, durant trois décennies, des personnages publics, son nez, oui, son intuition aguerrie font qu'il détecte rapidement le serpent archi-prudent, le cul-rond assis sur ses deux petites vérités, le ratoureux et menteur qui vit aux crochets des citoyens, le flic gradé qui parle faux au nom des polices des trois niveaux de gouvernement.

Alors, oui, l'ogre se déchaîne. Il devient impoli, hargneux, acerbe et virulent, au point de déraper dans la grossièreté. Il le sait et admet, si on le pousse un peu longtemps, qu'à certaines occasions il lui arrive de perdre son calme...

C'est ainsi qu'on a pu entendre à maintes reprises un fourbe quelconque, un con patenté subir une dégelée de Proulx, une raclée à mettre en joie n'importe quel citoyen abusé. Ses foudres, certains midis, sont pleinement justifiées. S'il lui arrive de dérailler, il lui arrive plus souvent de nous venger collectivement en gueulant des évidences qu'il faut taire partout ailleurs, surtout à la radio publique, vu une conception des manières correctes qui relève carrément de la complicité la plus louche.

2

L'ALBUM
DE FAMILLE

– Vite, il faut venir ramasser la dépouille de mon mari. Voici mon adresse... Le nom du mort, c'est M. Rémillard...

Autour du téléphone, les adolescents de la bande des Martel et Laplante, une dizaine en tout, retiennent leur souffle. Les frères Proulx, Gilles et Jacques, pliés en deux, ricanent en silence. La jeune copine de Jacques, Jeanne Martel, a pris une voix de circonstance. Cette journée-là, on a décidé de jouer un tour aux voisins d'en face, des nouveaux venus sur la rue Willibrord, des «habitants» de la campagne!

– Mais, madame, répond l'embaumeur des salons mortuaires Alpin, il faut un appel de son docteur pour pouvoir ramasser le cadavre de ce M. Rémillard...

Ça n'allait pas traîner. On raccroche. Autre voix, celle de Jacques, grave, qui annonce:

– Les salons Alpin? Ici le docteur A. D. Archambeault. Vous pouvez aller chercher la dépouille de M. Rémillard...

Les gamins sortent pour guetter l'arrivée des croquemorts! On rigole d'avance. Les voilà! Ils sonnent chez le bonhomme Rémillard. Toujours bougon, ce dernier ouvre aux deux mortuaires:

– Qu'osse qui a? C'est pourquoi?

Sa voix portait aux quatre horizons.

– On vient chercher le mort, un M. Rémillard, pour la morgue.
– Moé, mort? J'ai-tu l'air d'un mort, barnac?

Encore aujourd'hui, Gilles Proulx aime jouer des tours, se moquer de l'un, prendre l'autre en défaut. Un jour que Suzanne Lapointe animait son émission, il entre directement en studio et, sans même la regarder, se dirige droit vers une poubelle de métal vide. Professionnelle jusqu'au bout des ongles, Suzanne Lapointe enchaîne comme si de rien n'était, tout en jetant un œil vers Gilles Proulx debout devant le récipient... Il ouvre sa braguette et, sans gêne, le sourire aux lèvres, se met à pisser tranquillement dans la poubelle! Les micros du studio ont retransmis ce bruit insolite chez tous les auditeurs de Suzanne, qui ont dû croire qu'elle animait son émission dans les toilettes! C'est ce jour-là, disent les mauvaises langues, qu'en voyant Gilles exhiber sa... personnalité, Suzanne Lapointe a attrapé le formidable fou rire qu'on lui connaît...

Au 157 Willibrord, où il est né, dans les rues de Verdun où il a grandi, Gilles Proulx a laissé sa trace, certes. Mais il a aussi conservé des souvenirs, bons et mauvais, de cette jeunesse qui l'a marqué, des *chums* aux coins des rues, des filles dans la pénombre des hangars, des *gangs* du bord de l'eau, du premier coup de pied au cul et du premier coup de poing donné...

D'un père et d'une mère, aussi, surtout, déchirés et insaisissables pour un enfant qui devra, peut-être trop tôt, entrer dans le monde des adultes...

Pour le meilleur et pour le pire, la très belle Antoinette Mallette, originaire des Cèdres, épouse le 10 février 1934, en l'église Notre-Dame-des-Sept-Douleurs de Verdun, André Proulx, beau jeune homme placide, bien à sa place, dési-  reux de fonder une fa- mille malgré l'épais brouillard d'inquiétu- des qui pèse alors sur le monde. Dix ans après l'effondrement de la Bourse de New York, voilà qu'un vent de pa- nique s'empare cette fois de l'Occident. Le spectre d'un autre con- flit mondial s'étend jusqu'en Amérique. André et Antoinette décident de donner un petit frère à leur aîné Jacques. Gilles naît donc, le 5 avril 1940.

– Ma mère était une très belle femme, fière et ambitieuse, raconte Gilles. Sans elle, je me demande même si j'aurais terminé mon cours primaire. Elle était très sévère au sujet des études, contrairement à mon père qui me voyait déjà, encore enfant, jouer les apprentis dans un garage avec lui. Un jour, elle avait

Antoinette Proulx en 1960 avec sa petite-fille Christianne.

ramené mon frère à l'école Richard en le tirant par l'oreille devant tous ses camarades de classe parce qu'il avait fait l'école buissonnière! Elle tenait à ce que nous fassions des messieurs, mon frère et moi: avocat, ingénieur, médecin, est-ce que je sais? J'ai dû beaucoup la décevoir à mes débuts. Comme tous les petits garçons de mon âge, je voulais devenir un joueur de hockey. Jusqu'à ce que je découvre que je ne grandissais pas assez vite...

Forte et déterminée, Antoinette tient la barre du fragile navire matrimonial. Elle regarde sa vie qui défile. Est-ce bien son rêve de jeune fille que cette existence banale dans un quartier sans éclat, sans aucun relief, avec cette bâtisse de l'Armée du Salut pour tout horizon, la vieille rue Wellington, les courses à l'épicerie Martin & Fils? Jacques et Gilles ne comprennent pas tout de ces courtes escarmouches, de ces brèves querelles entre leurs parents. Ce qu'ils entendent est une sourde rumeur qui ne dit rien de clair. Au plus, elle indique qu'un couple s'entend mal...

– C'était comme chez certains voisins. On n'y prenait pas trop garde. De perpétuelles chamailles.

Enfant, que les parents ne filent pas le parfait bonheur, on s'en fout la plupart du temps. Nous, on pensait surtout à s'amuser et à se faire remarquer.

Dans ce domaine, le jeune Proulx ne donne pas sa place:

– Pour aller au cinéma *Savoy*, juste au coin de chez nous, la plupart des automobilistes roulaient plutôt vite. Un jour, on décide de tracer en caractères géants, avec des craies de plâtre, le mot STOP au beau milieu de la rue. Fallait voir les gens freiner soudainement quand ils découvraient l'ordre en lettres impeccables au milieu de la chaussée. On a ri comme des fous. Les soirs de grand cinéma, certains gars s'amenaient avec leurs blondes dans de grosses voitures américaines et les garaient dans notre territoire. Pendant leur absence, on attachait les pare-chocs chromés avec de la corde aux pare-chocs des autos stationnées derrière. Quand les amoureux repartaient après le cinéma, tout s'arrachait dans un bruit infernal! Une autre fois, avec Jean-Roch Pelletier, on est allés ramasser des couleuvres dans l'île sauvage Saint-Paul, dite des Sœurs. On s'amène au *Savoy*. Le film est commencé. En douce, on y répand nos bestioles! Ça n'a pas été long: le gérant fait rallumer sa salle tandis que les spectateurs, debout sur leurs sièges, hurlent à mort... Enfin, un soir d'Halloween, vêtu d'une véritable peau d'ours, je gratte à la porte d'une maison de la rue Gordon. Habituée aux caprices de son chat, la locataire ouvre d'un geste machinal et invite sa «minigue» à rentrer... Rien. Elle s'avance, regarde par terre et aperçoit «la bête» qui grogne! Elle se met à hurler à pleins poumons

et alerte son mari qui s'amène en trombe. Le bonhomme croit rêver: un ours dans Verdun, un ours sur
son balcon! Il se voit déjà en première page du journal!
«Bouge pas, conseille-t-il à sa femme, j'vas chercher
ma carabine...» C'est ce jour-là qu'on a vu pour la première fois un ours se changer en lapin!

Gilles Proulx en 1957, avec ses parents
et sa nièce Christianne, la fille de
Jacques.

Derrière ces espiè-
gleries d'enfants, l'union
d'un couple s'effrite...
La séparation aura lieu
au début des années
soixante.

– Mon père a tou-
jours été correct avec
ma mère. Il y avait deux
femmes dans sa vie.
Oui, il a fallu vivre
avec cette réalité inso-
lite. Elle se nommait
Marie et elle habitait
pas loin. Elle avait deux enfants: Jean-Roch et Claude.
Le premier avait l'âge de Jacques. On se rencontrait
régulièrement, alors que mon père nous amenait en
pique-nique, en voiture, à la plage de Plattsburgh. Mon
père était un original, il aimait deux femmes à la fois.
Toujours dévoué avec nous tous, il fut un vrai père, un
bon père. Quand maman est morte, jeune, à 53 ans,
papa a épousé Marie, pas avant. Quand j'ai quitté la
maison en 1962, à l'âge de 22 ans, il est allé vivre avec
sa belle à Ville LaSalle. Mon père avait pris toutes les

précautions pour que sa légitime ne souffre pas trop de sa liaison. Il a beaucoup pleuré quand ma mère est morte, beaucoup! À sa façon, il l'aimait. C'était un numéro, mon paternel... Par exemple, malgré sa liaison, il ne manquait jamais sa messe du dimanche. Pas question de rompre avec notre sainte mère l'Église... Ma mère était moins pieuse. Chez nous, contrairement à l'ensemble de la population, il n'y a jamais eu le chapelet en famille. Ça, c'était bon pour nos deux grands-mères! Après la mort d'Antoinette, mon père a vécu 27 ans avec Marie. On se rencontrait tous, comme tout le monde, aux grandes fêtes, sans aucune animosité. Jeune, je n'aimais pas cette femme, mais en vieillissant j'ai appris à l'apprécier. Elle a été extraordinaire pour mon père. C'est elle qui l'a soigné durant sa longue maladie. À la fin, il était affublé d'un sac à la hanche. C'est terrible, ça. Marie l'a aimé jusqu'au bout. Avant qu'il ne meure, en octobre 1993, elle s'est rendue cent fois à l'hôpital pour le soutenir jusque dans ses derniers moments. Depuis, je rends visite à cette femme qui a beaucoup aimé mon père. Je l'admire pour son dévouement.

Le gamin avait cinq ans lorsqu'il a perdu son grand-père paternel, mais un autre personnage impressionnant y est sans doute pour quelque chose dans les actuels comportements de notre animateur: le grand-père Mallette! Bien que Jacques ait hérité du physique de l'aïeul, c'est Gilles qui fut marqué par le vocabulaire et certaines attitudes de l'ancêtre, en plus d'être le digne successeur de son oncle Émile, un aventurier dans l'âme, un coquin ripailleur à l'esprit ouvert!

– Ah, il était terrible, le grand-père Mallette! Terrifiant! Jeune, je le fuyais, lui et ses perpétuels questionnements. À force de toujours chercher à savoir ce que l'on pouvait bien m'apprendre dans cette école boiteuse, il m'intimidait. Je me sauvais de lui. Il tempêtait: «Tu sais pas ceci, tu sais pas cela, p'tit ignorant! Qu'est-ce qu'ils vous apprennent dans vos écoles?» Les enseignants étaient des feflins, selon son expression, des incapables. Il gueulait sans cesse! Enfant, il me faisait peur. Par exemple, au cours d'un repas, il saisissait la salière dans ses mains et, plantant ses yeux dans les miens, il me demandait: «D'où ça vient, le sel? Vas-y, réponds! D'où ça vient, le sel? On t'apprend quoi à l'école?» Une chance que je n'ai pas répondu que ça venait de l'épicerie du coin... Après, je l'ai mieux compris. C'est lui qui avait bien raison de protester. C'est amusant, car je m'aperçois que, par certains de mes comportements, je suis une sorte de prolongement de mon grand-père, que je suis devenu comme lui! Les gènes? Les chromosomes? J'ai fini par comprendre qu'il a été un homme de bon sens, de rigueur, et qu'il avait raison de rouspéter aussi souvent!

Gilles, le clone de son fougueux grand-père?

Un dimanche matin d'automne, comme d'habitude, le couple Mallette se lève tôt. Eugène, contrairement à son habitude, était de bonne humeur: il ne parlait pas! Sûrement que sa jambe artificielle le faisait moins souffrir! Sans desserrer les dents, il commande un café à sa femme, Pulchérie, qu'il appelait affectueusement Chérie. Elle en profite pour lui lacer ses bottines, convaincue que c'est la journée idéale pour lui faire la grande demande:

– Toute une belle journée qui s'annonce, hein Eugène?
– ...
– Tranquillement, on pourrait peut-être aller prendre une marche?
– ...
– J't'ai pas parlé du nouveau curé, un p'tit jeune. Il est assez fin. Tu devrais l'entendre parler, j'te dis que c'est pas un fou...
– ...
– Ça fait 10 ans que t'es pas venu à la messe, Eugène. Ça me ferait tellement plaisir que tu viennes à matin.
– Bon, c'est correct, habille-toé, c'est à matin qu'on y va!

S'appuyant légèrement sur sa canne, Eugène Mallette, qui n'a pas mis les pieds dans une église depuis 10 ans, fait une entrée remarquée. Il entend quelques voisins chuchoter, mais n'y porte aucune attention. Le couple prend place dans un banc, au milieu de la foule. Debout au pied de l'autel, la chasuble impeccable, entouré de ses servants, le nouveau petit curé attaque:

– *In nomine Patris, et Filii, et Spiritus Sancti. Amen. Introibo ad altare Dei.*
– *Ad Deum qui laetificat juventutem meam.*

Étant donné qu'Eugène est forcé de rester assis pendant que les autres s'agenouillent pour prier, ça lui donne le temps de penser! Et justement, il pense que ça n'a pas beaucoup changé depuis 10 ans... Enfin, le nouveau petit curé, prêt à sermonner ses fidèles, monte en chaire:

– Mes bien chers frères, la parabole de l'Évangile nous enseigne qu'il faut accueillir avec joie la brebis égarée, qu'il faut...

Le nouveau petit curé n'a pas le temps de finir sa phrase! Debout, sa canne pointée vers l'ecclésiastique, Eugène Mallette y va de sa propre oraison:

– Ça a vraiment pas changé depuis 10 ans... C'est toujours le même discours plate que vous chantez au monde... Vous pouvez être sûr que je r'viendrai pas icitte au moins pour encore 10 ans! Envoye, Chérie, on s'en va...

Jamais personne n'avait osé. Jamais curé n'avait subi pareille humiliation. Jamais l'Église n'avait été contestée avec autant d'ironie. Un scandale pour la paroisse. Une honte pour ses fidèles. Pointée du doigt, Pulchérie ne s'en remit jamais! Quant à Eugène, il s'en foutait complètement... Sauf qu'au jour du grand départ, tiraillé entre le bien et le mal, voulant se réconcilier avec l'Église, il demanda à voir un prêtre... Eugène aura été chanceux jusqu'à la fin: ce ne fut pas le petit curé qui se présenta à son chevet!

Gilles a été aussi impressionné par son grand-père que par l'un des tout premiers souvenirs de sa vie quand, de son carrosse d'enfant de trois ans, il guettait tous les jours, de l'autre côté de la rue, une machine énorme, un monstre vorace qui s'acharnait à creuser le sol et à soulever des tonnes de terre noire qu'il déposait un peu plus loin. À la vue de cette pelle mécanique, il restait figé sur place...

– J'ai un net souvenir de la silhouette de fer et du vacarme du mastodonte. J'étais nerveux et apeuré de voir cette bête qui avalait et recrachait toute cette terre, faisant un boucan à faire vibrer mon petit carrosse, la galerie, toute la maison il me semblait.

Gilles devra un jour affronter des dinosaures beaucoup plus imposants et cruels que celui-là, négocier avec la dure réalité d'une jeunesse difficile, d'une adolescence mouvementée où il apprendra à jouer des coudes et où souvent il vaut mieux donner avant... que de recevoir après!

3

À NOUS DEUX,
LA VIE!

La première paire de pantalons longs.

Gilles vient d'avoir sept ans lorsqu'il est invité à passer un premier été en pleine campagne, au lac Vert près de Saint-Jean-de-Matha, chez ses tantes Yvonne et Irène. Transporté dans un autre monde, loin des ruelles de son quartier, privé de ses copains et d'autant d'occasions d'inventer des coups pendables, son univers se transforme au contact de la nature.

– Allez, viens ici... Viens manger... Il faut pas avoir peur.... Viens, viens manger...
– Groink... Groink...
– Approche... Plus près... Encore... C'est bien, comme ça. Tu vas voir que c'est bon de la crème et du sucre d'érable. Tu vas en redemander toutes les fois que tu vas me voir.
– Groink... Groink...
– On va vite devenir des amis. Et dimanche j'irai couper des roses dans le jardin. Tu vas aimer ça parce que des fleurs ça devrait être bon pour toi...

Curieux, éveillé, audacieux, l'enfant explore, découvre, s'invente des jeux et se lie d'amitié avec... un cochon! Un porcelet auquel il s'attache, qu'il prend plaisir à nourrir sur la ferme de Philias Girard, un voisin. Sous le regard bienveillant de tante Irène, Ti-Gilles gave son protégé! Avec ce genre de fréquentations, pas étonnant qu'aujourd'hui on lui reproche son caractère... de cochon!

Les attentions que Gilles prodigue à son cochonnet auront des répercussions inattendues. En effet, les petits soins de l'enfant trouveront écho dans le journal *Le Canada*. Le 18 septembre 1947, le journaliste Maurice Nantel, amoureux de tante Irène, signe sous le pseudonyme Gabadadi un billet décrivant avec émotion cette camaraderie pour le moins exotique et empreinte de nostalgie, à la fin de l'été, au moment de la séparation:

«Ti-Gars...

Il s'ennuie à mourir, le pauvre. Vous le voyez couché dans l'herbe et tout triste depuis le départ de Gilles.

Il y a de quoi.

Ti-Gars est un porcelet à peau rose, gardé tel quel par Philias Girard, fermier à la paye, afin de perpétuer, dans les pays d'en haut et jusqu'aux Sept-Chutes, une lignée de jambonneaux délicieux et de rôtis, piqués d'ail et d'oignon.

Gilles est un gamin de sept ans qui a passé deux mois au lac Vert avec son élégante tante Irène, propriétaire d'un chalet de rêve sous des pins tassés dans la baie des outardes.

Chaque matin, l'enfant et le porcelet se retrouvaient près de la clôture de perches et Ti-Gars dévorait un plat de farine d'avoine arrosée de crème avec un soupçon de sucre d'érable.

Par un dimanche midi, Gilles eut l'idée de faire manger des roses à son camarade. Nenni. Il alla s'étendre dans la boue de la savane et il fallut un bain pour lui refaire une beauté.

C'est triste à fendre l'âme de voir Ti-Gars depuis une semaine. Rien ne l'amuse. Des heures durant, il guette la route du parterre par où arrivait Gilles et ses petits yeux rouges se refusent à regarder ailleurs.

L'an qui vient, le goret aura d'autres soucis.

Espérons qu'il reconnaîtra Gilles, même si on lui donne plusieurs compagnes pour y fouiller les racines dans la terre en friche et préparer de nouvelles récoltes.

Cette camaraderie entre un enfant et un candidat à l'abattoir mérite d'être signalée.

Elle est un exemple que pourraient suivre bien des gens ayant depuis longtemps oublié les joies de la camaraderie et de l'amitié.

Gabadadi»

De retour en ville, le Ti-Gilles de la campagne a vite fait de classer le Ti-Gars du lac Vert parmi ses souvenirs! Mais ce qu'il ne peut oublier, ce qui le hante par-dessus tout, ineffaçable, c'est le secret enfoui au fond de son cœur: un premier baiser, échangé avec la belle Louise Gauthier, la fille d'un voisin rencontrée avec son jeune copain, Jacques Coutu, qui lui s'était amouraché de Jocelyne, dite l'amazone, la sœur de Louise. À cette époque, le cœur de Jocelyne balançait entre Coutu et Jacques Déry, celui-là même qui deviendra le président d'Habitabec!

Les vacances terminées, Gilles pense à Louise très souvent, trop souvent. Aussi, il ne peut s'empêcher à plusieurs reprises de quitter momentanément Verdun, empruntant trois ou quatre trajets en autobus ou en tramway afin d'aller voir en cachette la belle Louise dans son quartier de Ville Saint-Laurent:

– Le premier amour, ça ne s'oublie pas! Je me demande parfois ce qu'est devenue telle ou telle fille. Ces amours-là, les toutes premières, marquent. Elles font sur nous des taches indélébiles... Plus on vieillit et plus on a besoin parfois de regarder en arrière...

D'autres étés se sont écoulés le long du fleuve, au quai Leblanc où, pour 0,25 $ le passage, son père l'amenait à l'île des Sœurs.

– Elle était belle, cette île, avec son couvent qui datait du régime français. J'entends encore, dans le couloir de ma mémoire, le son de ses cloches. J'avais l'impression qu'un morceau de la vieille France vibrait encore parmi nous.

Choisi comme scout méritant, Gilles rencontre pour la première fois des grands de ce monde: il est reçu par le maire Camillien Houde à l'hôtel de ville de Montréal. À l'approche de l'adolescence, certains rêves se précisent. Mais entre l'école qui ne l'attire pas du tout et une carrière qui semble encore bien lointaine, Gilles nourrit une grande ambition: jouer au hockey pour le club Canadien! Il vénère ses idoles, les Maurice Richard, Jean Béliveau et Bernard Geoffrion. Lorsque ce dernier fut congédié du Canadien, il vendit tous ses meubles à Gilles Proulx! Il adulera Guy Lafleur et celui que l'on a baptisé le Bleuet bionique, Mario Tremblay,

Après sa rencontre avec Camillien Houde qui l'envoie quêter auprès du président de son comité exécutif, Jean-Marie Savignac.

en qui Gilles voyait le vrai symbole du Québécois nationaliste tenace. Mais celui qui transportera son rêve et deviendra à ses yeux le plus beau joueur de la Ligue nationale de hockey s'appelle toujours Denis Savard, un Verdunois comme lui. Gilles défend tellement en ondes le numéro 18 du Canadien, soutenant à chaque partie que son favori n'a pas assez de temps de glace, que Denis Savard, lors des finales de 1993, lui demande de freiner quelque peu ses ardeurs car l'entraîneur Jacques Demers croit que les propos de Gilles risquent de nuire à la concentration de son joueur! Au téléphone, Savard explique à Gilles qu'il doit suivre les recommandations de Demers et que la victoire de l'équipe importe plus que ses performances individuelles. En signe d'amitié, Savard lui remettra officiellement son chandail du Canadien peu avant de joindre sa nouvelle équipe en Floride.

En 1992, Gilles, Denis Savard et le député Robert Therrien: un moment de bonheur!

Coincé entre ses rêves et sa triste réalité de pension-
naire chez les frères des Écoles chrétiennes à Longueuil,
l'élève Proulx devient un véritable *drop out* avant
l'expression. Rien ne va plus. Sauf lors des cours d'histoire, il s'ennuie à mourir dans ce collège où on l'oblige
à respecter un horaire, à étudier des matières qui ne
l'intéressent pas, à suivre un ordre établi d'avance par
d'autres que lui-même! Bref, les notes de l'élève Gilles
Proulx sont catastrophiques et il répugne à toute discipline, même si on ne manque pas de lui rappeler que
deux illustres étudiants ont marqué les belles années de
l'institution: le frère Marie-Victorin et Camillien
Houde. Heureusement, l'athlétique frère Julien intéresse Gilles aux sports obligatoires. Si bien que, durant
les congés, Gilles n'hésite pas à relever les plus fous défis
de Jean Martel: escalader, à 15 ans, la structure du pont
Mercier ou tout simplement s'accrocher aux wagons des
trains qui passent! En somme, il a tout du petit voyou,
du délinquant prêt à basculer dans l'irrémédiable à la
moindre occasion...

– Au beau milieu de ma onzième année, l'actuel
secondaire cinq, juste avant Noël, le frère René con-
voque mon père et lui suggère de me retirer de l'école
car selon lui ça ne sert plus à rien que j'aille y perdre
mon temps! J'ai donc été mis à la porte de l'école et
me suis retrouvé avec des emplois occasionnels la
plupart du temps.

Dans les rues de Verdun, Gilles Proulx s'est fait
une réputation: il ne recule devant rien et surtout pas
devant des Anglais!

– Les rivalités entre nous, ça ne finissait plus! On détestait tous les anglos. Batailles sournoises, avec embuscades et pièges tendus. Ils apparaissaient parfois tout un troupeau! Eux aussi nous détestaient. Bêtement aussi, il me semble qu'ils étaient 100 et nous 12, 15? J'enrageais. Heureusement, nous avions avec nous Gérard Viau et Denis Gaudreau, deux bons boxeurs de la Palestre Nationale.

De cinq ans l'aîné de Gilles, Jacques Proulx agissait parfois comme le pacificateur, le négociateur.

– De mon côté, précise le frère de Gilles, je m'étais intégré plus naturellement avec les Anglais de Verdun. J'ai appris la langue tout jeune, à cinq ou six ans, en jouant dans la rue. Pour sa part, Gilles vivait, comment dire, une sorte d'allergie à l'anglais! Il refusait toujours de se mêler aux groupes qui le parlaient. Il était souvent  pris dans une bataille de rue avec des anglophones. Un de sa bande courait me chercher pour arrêter la bagarre. J'y allais et je jouais à l'arbitre qui lève les poings pour protéger son petit frère. La plupart du temps, il n'y avait rien de grave. J'étais une sorte d'ambassadeur, un bien petit consul!

Et quand Jacques, dans la vingtaine, tombe amoureux de sa première blonde, Louise Déry, qui deviendra sa femme, Gilles se sent un peu trahi, abandonné par son grand frère protecteur. Voyant Jacques dans l'aviation, Gilles s'inscrira plus tard, lui, dans les Forces armées canadiennes, pour un très court laps de temps, beaucoup plus pour la paye que pour le drapeau!

– Jeune, on ne se rend pas compte, explique Jacques, de ce que l'autre, même un frère, peut vivre à côté...

Gilles devient livreur de fin de semaine au supermarché Steinberg du coin. Entre deux livraisons, il aime en silence une superbe fille qui passe souvent en face de chez lui: Nicole Seymour.

– Elle portait un chic manteau d'un beau bleu, un foulard blanc au printemps, des gants. Je la voyais comme une princesse de conte de fées. J'étais amoureux, muet, patient. L'élégance de cette voisine si jolie m'agrandissait les yeux. Il n'y avait rien de solide, que des émois flous à cet âge tendre. Un sourire discret et le cœur bat très vite. On échafaude des rêves vagues. J'étais soulevé rien qu'à la voir sortir de

chez elle. En tant que livreur d'épicerie, parfois j'allais sonner chez elle. Et quand elle venait répondre, j'étais aux anges... On s'est fréquentés durant deux ans. Elle m'a fait découvrir les merveilleux premiers chagrins d'amour! J'ai aimé en silence, toujours à cette époque, une autre très belle fille: Nicole Tremblay. Elle était fiancée mais elle me jetait des œillades durant la messe. Ça me rendait fou!

Inscrit à un cours accéléré en dessin industriel, Gilles fera un bref passage à la Northern-Electric. Il se cherche plus que jamais et trouve peu de réponses à ses interrogations. Alors, il se paye du bon temps. Sauf les flics, rien ne l'arrête: motocyclette et jolies filles sont au programme de ce jeune d'à peine 18 ans. Gilles sur sa Triumph, son comparse Jean-Pierre Lemaire sur sa Harley Davidson, tous deux accompagnés des sœurs Jocelyne et Louise Gauthier, on s'amuse à faire rager les automobilistes ainsi qu'un policier, le gaillard Naphtalie

Gilles avec Louise Gauthier, la première blonde, la fille du lac Vert...

Avec Gene Bowden, au volant de la Triumph.

Gauthier, qui voient d'un très mauvais œil les motards provocateurs. Un soir de juillet, Proulx et Lemaire décident d'écœurer les chauffeurs du dimanche parce que l'un d'entre eux les avait traités de voyous sur leur machine infernale. Ils s'installent donc côte à côte sur la route de Saint-Félix-de-Valois et, roulant à 35 km/h, provoquent derrière eux un embouteillage monstre! Mais à l'entrée de Montréal, ils sont pris en chasse par des policiers. Sans permis de conduire, le motocycliste se fait coincer dans le port et se retrouve au poste avec une accusation d'entrave à la circulation! L'aventure de la moto prend fin car le père de Gilles n'accepte de le ramener au bercail qu'à condition qu'il promette d'échanger son dangereux bolide contre une automobile... Ce sera une voiture sport Triumph-TR-3.

— Il faut pouvoir l'imaginer à cette époque, dit Jacques. Il a quitté ses études et s'est trouvé un emploi. Il déniche une moto et l'achète. Sans permis. Complice, c'est moi qui signe pour lui, avec la peur qu'il se tue! Gilles est ébloui par les héros et les grandes vedettes de cinéma. Il s'habille et se coiffe comme Marlon Brando et James Dean. Il adopte même leur démarche, les cheveux en grappe de raisins sur le front et la veste de cuir sur le dos. Et il fredonne du Presley au volant de sa moto. En cette époque duplessiste, un seul chanteur francophone, un symbole de liberté, l'impressionne: Félix Leclerc. C'est difficile de l'imaginer comme ça quand on pense au Gilles Proulx d'aujourd'hui...

Désormais privé de sa moto, Gilles ne s'est pas assagi pour autant! Encadré de ses amis Jean Martel et Ross Marshall, il aime visiter le Grand Montréal la nuit et surtout s'arrêter dans quelques cabarets populaires. C'est ainsi qu'un soir de 1958 le trio se présente au *All American*, au centre-ville de Montréal. Il est 2 h 30. Selon la loi, le bar devrait être fermé. Mais cette boîte, comme beaucoup d'autres, est contrôlée par la pègre, qui manipule sans peine les autorités municipales. Nos trois gars sont au courant de tout ça. Ross Marshall porte un long imperméable sombre qui le fait ressembler à un agent en civil. Dans sa main, il serre un insigne de policier volé. Suivi de Gilles et de Jean, il fait irruption dans la boîte de nuit en criant: «*Police! Everybody up and kiss the wall! Hurry up! Right now!*»

Les gorilles de l'établissement les entourent. Marshall fait mine de rédiger une plainte. Les trois faux policiers ont des chaleurs tandis que les pègreux tentent de leur expliquer qu'ils connaissent personnellement les autorités municipales et qu'ils ont de bons amis à l'hôtel de ville. On chuchote des noms. On parle argent. Aussitôt, les 3 imposteurs acceptent 25 $ et détalent comme des lapins, les talons au derrière... Ils s'en souviendront toute leur vie!

Comme ses autres amis les plus proches, les Lemaire, Martel, Verroneau, Lupien, Archambault, Laplante ou André Deschênes, devenu policier à Greenfield Park, Gilles prend conscience qu'un monde l'attend, qu'il ne pourra jouer à l'adolescent encore longtemps. Peu à peu, il jette un œil sur la politique et s'intéresse à l'actualité, souvent avec la rage au cœur. Il n'est pas toujours d'accord avec ce qui se dit, tout ce qui s'écrit. Il se souvient même parfois du frère Eusèbe qui au collège de Longueuil défiait l'autorité en tenant des propos nationalistes en classe: alors que les travaux de canalisation du fleuve faisaient jaser, le religieux se demandait si Montréal n'allait pas perdre le poids de son influence maritime en voyant naviguer les bateaux de Saint-Lambert aux Grands Lacs... De même, l'élève se souviendra toujours de ses premières institutrices, les Parent, Laurion et Crépault, cette dernière décrivant en classe, avec des photographies du cap Diamant, les batailles entre les bateaux anglais et français. Épris d'histoire dès l'enfance, Gilles raconte:

– Mon père prenait plaisir à tenter de m'expliquer le monde. Il m'a souvent décrit certains sites historiques de ce que l'on nommait encore la métropole du Canada, Montréal! Il nous dépeignait également la guerre en Europe ou celle contre les Japonais. J'aimais l'écouter. Tout ça a sans doute largement contribué à me donner la piqûre pour l'histoire, l'une de mes grandes passions. Vient un âge où on ne joue plus au hockey dans la ruelle, où on préfère les flâneries, les guets sans but à admirer la belle Luce Tougas de la rue Rielle, l'examen des passants... et tout faire pour se débarrasser du beau gars de notre bande, Aimé Laplante, qui nous arrachait toutes les filles qu'on admirait... Il a fallu, un bon jour, cesser ça, les bagarres ethniques, le flânage, tourner le dos à ma vie de fainéant, de demi-voyou. Je souhaitais vraiment une autre sorte d'existence. Changer de vie. J'avais peur de mal tourner, de mal finir. Je détestais les études. Mon père était prêt à m'initier à son métier de mécanicien. Ma mère s'opposait fermement à ce laxisme qui la scandalisait. Elle aurait tant voulu que je devienne un professionnel.

Elle ne sait pas, Antoinette, que son benjamin deviendra l'avocat numéro un, tous les midis à la radio populaire, des petites gens, des mal pris, des mal instruits...

Déjà, Gilles Proulx admire les grandes gueules. Pas celles qui ne font que du vent. Il vient tout juste d'avoir 20 ans quand naît la Révolution tranquille. Au micro de CKAC, un bonhomme brasse des cages. C'est une fameuse grande gueule: Jean Duceppe. Gilles admire son style d'animation et se dit qu'un de ces jours il va devenir un Duceppe! Très nationaliste, le futur grand artiste du Québec pourfendait, à son émission *Du pep avec Duceppe*, toutes les têtes carrées qui se faisaient un malin plaisir de manger du Canayen! Au lieu de parler des Québécois, Duceppe insistait alors pour que les Canadiens français soient fiers d'imposer sans crainte leur langue chez Eaton ou chez Morgan... Le Verdunois lui voue une grande admiration, partage ses sentiments mais ne se sent pas prêt à militer à fond de train pour une cause. Pas encore, même s'il assiste aux soirées animées par les Marcel Chaput, André D'Allemagne, Pierre Bourgault et autres:

— La fougue des tribuns populaires m'a fait voyager jeune. Le talent oratoire d'un Bourgault, par exemple. J'aimais aller l'entendre. Il nous transportait. Cela aussi m'a arraché à mon existence terne, la montée de ce nouveau nationalisme différent du vieux nationalisme pépère, frileux, docile, camouflé du temps de «La patente», l'ordre secret de Jacques-Cartier, des victoires timides, des revendications timorées.

Petit employé à l'usine de peinture Sherwin Williams, Gilles Proulx ose un premier geste décisif pour son avenir:

— Je n'avais pas un bon patron, c'était un raciste, un vrai cinglé, un Suisse-Allemand qui exigeait l'anglais comme seule langue de travail! Il nous interdisait de prononcer un seul mot en français. C'était un fasciste comme on en retrouvait dans les usines et les manufactures avant et au début de la Révolution tranquille, avant les bombes du premier groupe terroriste du Front de libération du Québec. J'ai claqué la porte à la gueule de cet imbécile! Au fond, ce fut une chance pour moi d'avoir comme patron ce crétin intolérant. Le coup de pouce pour me sortir de là, pour me forcer à réaliser mon rêve: gagner ma vie en français dans le monde des médias...

Ce n'est qu'un peu plus tard que Gilles se fera arrêter pour sa toute première action politique. En compagnie de Jean Martel, Robert Nolin et Réjean Vachon, un autre de ses amis devenus millionnaires, il écrit en grosses lettres sur les murs neufs de l'hôtel de ville de Verdun: «Vive le Québec libre!» Il a 21 ans et la révolte gronde en lui.

Le gavroche est grisé par le vent violent des revendications. Cet enthousiasme n'ira pas en s'affaiblissant. Au contraire. Dix ans plus tard, il sera si révolté et si enflammé qu'il va flirter, et de très près, avec les terroristes clandestins du FLQ.

C'est dans cette foulée qu'il se souvient avoir défié dangereusement l'autorité, les policiers qui surveillaient, sur leurs bicycles à gaz, les jeunes voyous du quartier:

– Tous les midis, avant de retourner à l'école, nous étions une dizaine à nous rassembler pour siffler les filles et mijoter quelque bon coup. Tous les jours, à la même heure, un gros policier du nom de Godin s'amenait vers nous, stationnait sa motocyclette sur le trottoir et nous engueulait en nous traitant de petits voyous, nous conseillant d'aller à l'école, «bande de petits ignorants», au lieu de traîner au coin des ruelles. Un de ces midis, on décide de lui jouer un tour. On achète des poches de sable, on les étend sur le coin de la ruelle et, tous ensemble, on se met à crier: «Le chien à Godin, le chien à Godin...» Au loin, on entendait le bruit de la motocyclette qui se rapprochait. Nous sommes tous partis nous cacher dans les tourelles chez André Deschênes, où sa mère nous faisait passer par son logement qui donnait rue Wellington. Ni vus ni connus, on disparaissait dans la nature... Ce jour-là, le policier Godin, comme à son habitude, fonce plein gaz, sûr de nous prendre en défaut. Mais le piège fonctionne: le motard fonce dans le tas de sable, le panier en l'air et lui, sur le dos, éjecté de sa moto, la chemise déchirée, nous maudissant pendant que son engin tournoyait par terre dans un bruit infernal!

Ces retours à l'enfance demeurent importants pour Gilles. Ils constituent les maillons essentiels de son évolution, les bouées de repère de son navire. Son engagement pour la naissance d'une nation, sa spontanéité à s'afficher comme séparatiste hurlant: «Le Québec aux Québécois» devant le *Queen Elizabeth Hotel* à Montréal et son sens inné de l'équité, de la justice ne sont pas étrangers à ses années de jeunesse.

– D'un coup, je me suis vu comme quelqu'un de responsable, un gars avec un but, un idéal. J'étais né au bon moment. Je ne pouvais avaler les humiliations des temps jadis, quand les nôtres n'osaient pas trop relever la tête de peur de perdre la pitance ouvrière de la grande noirceur, comme on a baptisé cette époque de soumission à tous les pouvoirs.

Fort de ces idées, sûr de lui, Gilles Proulx fait son choix: la radio. Peu importe s'il lui faut devenir *disc jockey* au début, faire le ménage dans les stations de province, accepter un reproche ou suivre un conseil. Il est prêt à tout sacrifier pour atteindre son idéal. Son frère a déjà un pied dans la porte des grandes stations. Lui donne-t-il quelques recommandations, le guide-t-il vers la bonne voie? Jacques Proulx rigole:

– Non, oh non, ce n'est pas mon genre! Je lui parlais et il m'écoutait. Intelligent comme il est, il devait faire miel de tous les avis que l'on colportait sur le métier. Sans plus. Jamais il ne m'a demandé de le pistonner et jamais je n'ai eu à le recommander. C'est tout à son honneur. Et puis, j'étais encore un petit cul dans le monde de la radio quand Gilles s'y est jeté.

Encore jeune, il voyait défiler, rue Gordon à Verdun, les vedettes de la radio et de la télévision qui entraient et sortaient du poste CKVL. Il était épaté de voir d'aussi près ces intouchables adulés du public, les Émile Genest, Jacques Normand, Jean Coutu et tant d'autres.

Serait-il possible que lui-même, qui sait, un jour...

Gilles demande conseil à Bernard Rhéaume, animateur dévoué auprès des jeunes de son quartier. Rhéaume connaît déjà quelqu'un du métier, une personne susceptible d'aider le jeune Proulx, de l'encourager à faire le bon choix: José Ledoux, reporter à CKVL et directeur de théâtre, rue de l'Église à Verdun.

– C'est lui, en 1961, qui m'a fait rompre définitivement avec mon passé, avec la bande du coin, le bummage. Il m'a dit: «Fini de mal parler, d'avoir peur de faire rire de toi. Fini les ‹si j'aurais…› Tu veux faire de la radio? Sache qu'il va falloir bûcher dur, apprendre à articuler et à prononcer mieux, enrichir ton vocabulaire, lire beaucoup.» J'étais d'accord. J'aurais pu finir par ressembler à certains truands connus, ces mal grandis qui peuplent nos prisons et qui n'ont sans doute pas eu la chance de croiser un apôtre, un animateur avisé, un conseiller généreux.

Une rupture décisive s'opère. À 22 ans, Gilles Proulx est résolu. Après une année de leçons chez l'acteur français Henri Norbert et un essai infructueux au théâtre dans *Le Gibet*, une pièce de Jacques Languirand, il quitte Montréal pour apprendre sur le tas les secrets de la radio…

4

LE VENT
DU LARGE

L'important, pour la plupart des gens du milieu artistique, politique ou sportif, c'est de se faire un nom! Sauf pour Gilles Proulx qui, lui, a bataillé fort pour se faire un... prénom!

– Combien de fois, durant des années, je lisais sous ma photo publiée dans des petits journaux: «Jacques Proulx»! C'est humiliant quand tu es jeune et que tu souhaites percer. C'est frustrant quand cette confusion dure des années et des années. Je n'avais pas de prénom! Je me disais: «Merde! qu'ils inscrivent tout bonnement: ‹le frère de Jacques›!...»

Sans détour, Jacques Proulx comprend que, effectivement, le néophyte a dû en suer un coup pour arriver à s'imposer et connaître sa part de popularité:

– Oh oui! ça devait être emmerdant! J'en suis sûr. Trop longtemps ça a duré en ma faveur, cette satanée confusion de nos deux prénoms. Gilles travaillait fort et dans des créneaux pourtant différents des miens. Mais désormais, c'est l'inverse. C'est moi qui suis maintenant le frère de l'autre. Juste retour du balancier, non? Mais ce n'était pas ma faute! Le Proulx connu du public, c'était moi! Je labourais mon champ. Quand tu es jeune, tu te bats pour toi, point final. Et tant pis si ça vient pas assez vite pour les autres! Même pour un frérot que j'aimais beaucoup! C'est la réalité de la

En 1988, les deux frères Proulx entourant André leur père.

vie, ça! Alors, j'allais pas jouer l'hypocrite. Je me disais qu'il finirait bien par avoir son tour. Il bûchait tellement en affaires publiques. Il l'a eu. Il l'a. Et je suis bougrement fier et content pour lui!

Gilles au micro de CKBM à Montmagny, avec sa mère qui lui rend visite.

Mais avant d'y arriver, Gilles Proulx a dû porter sa croix comme tout le monde. Première station: Montmagny. Rien dans les mains, rien dans les poches, il débarque à la CKBM, qui lui offre 35 $ par semaine. Il prend pension chez la famille Clavette, rue de la Gare. Le nez collé au micro, il devient lecteur de nouvelles. Ses premières dépêches portent sur la crise des missiles à Cuba ainsi que sur les débuts de la guerre du Viêtnam. Gilles prête sa voix aux publicités, livre la météo, rédige des bulletins à même les textes des agences de presse et joue au *disc jockey* lorsque l'occasion se présente. Souple et polyvalent, le jeune animateur s'adapte au milieu, apprend la technique, enregistre les conseils et se méfie des erreurs. Somme toute, c'est un boulot agréable. Il réalise sa première entrevue avec Jean Béliveau:

– C'est là que j'ai le plus bafouillé dans toute ma carrière.

Il se fait quelques amis, les gens de la place l'écoutent car il parle d'eux et il se doute bien qu'un jour il y aura une ouverture pour lui à Montréal. Du moins, il l'espère!

Seulement trois mois après son arrivée à Montmagny, Gilles part prendre du galon à Matane, où il avait postulé à l'été 1962. C'est là, au micro de CKBL, avec un salaire de 70 $ par semaine cette fois, qu'il réalise l'ampleur du phénomène Proulx.

– J'avais parfois envie d'abandonner. On me comparait sans cesse à mon frère qui avait fait de la radio à Matane. Je ne maîtrisais pas la langue anglaise aussi bien que lui. J'articulais moins bien. Je n'avais pas son timbre radiophonique. Mon français était plus faible. Bref, j'en bavais souvent...

Au moment où le Québec est secoué par la première vague felquiste, Gilles s'ouvre au monde extérieur et découvre en lui de nouvelles émotions. Initié à la grande culture par un ancien de CBOF-Ottawa, Denis Binet, il explore un univers jusque-là inconnu: Bach, Chopin, Mozart, Balzac et Bossuet:

– Tous ces compositeurs, tous ces auteurs étaient comme ses amis... Denis Binet, un Beauceron étonnant et merveilleux n'ayant complété qu'une septième année, me faisait comprendre avec patience qu'il existe autre chose que le Carnaval de Québec!

Matane ne sera qu'une escale dans la jeune carrière de Gilles Proulx. René Lapointe, patron de CKBL, le congédie tout en lui recommandant d'abandonner le domaine des communications car il n'a pas de talent! Gilles pousse l'aventure jusqu'à Sept-Îles où, accueilli par feu Jacques Pépin, il retrouve avec bonheur l'ambiance de la grande ville, les bons restaurants, les petits cabarets, la vie qui bat. Il y rencontre même des anglophones qui hurlent contre le FLQ! Au volant de sa voiture sport, Gilles ratisse la région à la recherche de jolies filles, se permet même de promettre un avenir à l'une d'entre elles, Pierrette Vigneault, une mignonne coiffeuse du pays de Gilles Vigneault, s'amuse avec les camarades de la station et affiche une bonne humeur épanouie. Il quittera toutefois Sept-Îles pour la station CHRC de Québec:

– On est en octobre 1964, j'ai 24 ans et je viens d'être embauché à CHRC. Tout baigne dans l'huile.

À CHRS en 1966, que ce soit avec Jean-Pierre Ferland ou le comique français Fernand Raynaud: les premiers pas!

Avec mon ami Martel, on décide de fêter ce nouvel emploi à Québec. On s'installe à la taverne *Coloniale*, rue Saint-Jean. Nous sommes à quelques jours de la fameuse visite de la reine, à un jet de pierres du célèbre «samedi de la matraque...» On rit de Bébette, on blague sur son voyage bidon au Québec, on se moque de tout et de rien. On est un peu ivres. Près de nous, sourire aux lèvres, un gars en jeans semble vouloir sympathiser. Il s'installe à notre table et commence à dégobiller avec nous sur l'impérialisme britannique. Ensemble, on décide de prendre l'air et d'aller se balader sur les plaines d'Abraham, là où, le 13 septembre 1759, les Français ont connu la défaite aux mains des Anglais. Dans les vespasiennes aménagées sur le célèbre plateau dominant le fleuve Saint-Laurent, Martel et moi décidons de sortir nos bombes de peinture et de badigeonner les murs de slogans savoureux: «À bas la Confédération», «Vive le Québec libre» et «Bébette, t'es pas bienvenue». Tout ce temps là, l'autre gars nous observe sans rien dire. Un peu chaudasse, je sors des toilettes, me dirige vers la statue de Wolfe et me soulage sur le socle de l'Anglais! Tout d'un coup, sans prévenir, notre ami de taverne sort un revolver en criant: «C'est assez!» C'était un agent de la Gendarmerie royale du Canada... À la veille de la visite de la reine, il fallait éliminer les éléments subversifs!

Gilles et son ami Martel passent deux jours en prison en compagnie de criminels d'habitude! Heureusement, dans les journaux locaux, on n'a parlé, sans le nommer, que des frasques d'un «jeune animateur de radio»...

La station CHRC sera la dernière étape du périple de Gilles Proulx en province. À Québec, il va bientôt évaluer l'importance du Parlement dans la vie de la nation. Micro en main, il rencontre les Jean Lesage, Daniel Johnson et Claude Wagner. Il fait surtout la connaissance d'un homme qu'il admire, René Lévesque, avant de revenir à Montréal où l'attend un adversaire de taille: la concurrence!

Gilles débarque donc à Montréal en 1964. La radio a subi, deux ans plus tôt, de formidables transformations. Le début de la Révolution tranquille amène un nouveau langage en ondes, alors que le débat politique et culturel s'anime sous l'influence du changement. Dès lors, l'échange verbal en studio devient plus musclé et se transporte même jusqu'aux tribunes téléphoniques, une mode répandue par Roger Lebel de CKAC à la fin des années cinquante. Interactive, la radio devient vite le carrefour des opinions, une sorte de confessionnal public où l'auditeur s'exprime autant que l'animateur. Qui ne se souvient pas de la populaire Madame X à CKVL? Enfin, la radio d'ici s'américanise et transmet dans les nouveaux transistors des jeunes la musique rock, dont celle, bien sûr, des mégavedettes de l'heure, les Beatles, et de leur porte-parole au Québec, Michel Desrochers.

C'est dans cet esprit qu'une nouvelle station de radio, CKLM, a vu le jour rue Sainte-Catherine en 1962, sous la direction de Mario Verdon, Roland Saucier et Guy D'Arcy. Ses grandes vedettes se nomment Roger Baulu, Roger Lebel et Mario Verdon. Au même moment, la création de Télé-Métropole suscite un certain mouvement parmi les animateurs qui, à l'instar d'un Pierre Marcotte par exemple, tenteront leur chance à l'écran de cette nouvelle télévision privée, faisant ainsi place aux recrues, aux nouveaux passionnés des ondes. Les jeunes loups ont enfin la chance de se faire valoir! Gilles Proulx se joint à la meute quelques années plus tard.

En 1965, après un bref séjour au micro de CJMS FM, Gilles est congédié. La direction le soupçonne d'avoir invité Reggie Chartrand et ses Chevaliers de l'indépendance à manifester devant le poste colonisé qu'est alors CJMS AM.

– Surtout avec la voix de l'antiséparatiste Paul Coucke, précise Gilles.

C'est également lors de cette pause à CJMS FM que Gilles s'amuse aux dépens de l'annonceur André Lauzon, l'une de ses têtes de Turc préférées! Avec la complicité des journalistes Pierre Leroux et Jean Riendeau, on rédige un mémo, signé du nom du patron Raymond Crépeault, enjoignant aux nouvellistes de rendre hommage au drapeau du Québec en paradant devant la station au moins 15 minutes avant d'entrer en ondes! Lauzon prend connaissance de l'avis, s'empare du drapeau du Québec et se met à arpenter le trottoir de la rue Berri en face de CJMS... À l'unanimité, il fut proclamé le patriote du jour! Plus tard, cette fois à CKVL, Jack Tietolman, le grand patron, demande à Lauzon pourquoi il quitte constamment le champ de son micro lorsqu'il lit les nouvelles. Lauzon réplique qu'il a entendu dire qu'il devait apprendre à lire en regardant le plafond puisqu'une petite caméra y était dissimulée... La rumeur voulait que Tietolman obtienne le permis d'une station de télévision francophone. Alors Lauzon se pratiquait à affronter la caméra... au plafond!

Gilles Proulx occupe ensuite un autre emploi, mais pour peu de temps, dans les studios de CHRS-Longueuil, au côté de Michel Trahan. Il en garde, souvenir peu reluisant à son palmarès, une anecdote prouvant qu'il est parfois opportun d'en faire à sa tête!

– Un midi de 1965, alors que j'étais au micro de CHRS, voilà qu'un jeune boutonneux s'amène avec sa guitare et commence à me gratter une chanson où il est question de sandwichs à la moutarde... Sa complainte terminée, je lui conseille de retourner à l'école s'il ne veut pas manger des sandwichs à la moutarde toute sa vie! Ce jeune, il s'appelait... Claude Dubois! Quel pif j'avais! Aujourd'hui, je me sens gêné de rappeler cette histoire au rockeur québécois pour lequel j'ai le plus grand respect. Lorsque j'étais à Paris en 1970, il me faisait chaud au cœur d'entendre régulièrement son disque *Comme un million de gens...* à RTL où je travaillais.

Refusant que la station soit identifiée comme séparatiste, Jacques Dufresne, décédé depuis, annonce à Gilles Proulx qu'il doit se débarrasser de lui. Cette année-là, Gilles anime l'hommage annuel rendu aux patriotes de 1837 à Saint-Denis sur le Richelieu. Il assiste alors à un discours improvisé de Pierre Bourgault qui reste à jamais gravé dans sa mémoire:

– Il y avait très peu de monde. C'était un temps de déprime. Les arrestations des jeunes felquistes de la première vague avaient mis un gros bémol aux ardeurs patriotiques. Sur le thème «Nous sommes des lâches», Bourgault a martelé une épouvantable série de questions-réponses. Un vrai rap, une litanie effrayante de nos peurs. Le sermon a duré presque une heure. C'était envoûtant et accablant à la fois. J'étais épaté et remué. Je découvrais la force des mots, du verbe incantatoire. Je rêvais de posséder un jour un peu de ce pouvoir des mots...

En 1966, Pierre Chouinard, le jeune frère du célèbre Jacques Normand, et Jean-Marc Brunet, l'actuel homme d'affaires, invitent Gilles à joindre les rangs de la station CKLM qui accepte sa candidature. Outre Chouinard et Brunet, Gilles va désormais côtoyer les Jean Duceppe, Victor-Lévy Beaulieu qui allait devenir l'un de nos auteurs québécois les plus prolifiques, ainsi qu'un certain Jean-Pierre Coallier qui consacrera sa vie à la radio et connaîtra, après de longs efforts et beaucoup d'imagination, le succès que l'on sait, allant jusqu'à fonder, avec son ami Roland Saucier, sa propre station de radio à Laval, CFGL.

– Mon séjour à l'antenne de CKLM a été formateur, se rappelle Gilles. Partout, pour ceux et celles qui veulent, c'est possible d'apprendre et d'avancer dans les pires conditions. C'est une question de volonté et d'ambition. Il faut savoir dire oui, comme il faut être capable de refuser ce qui va à l'encontre de nos convictions profondes. Au début des années soixante, CJMS était ultra-américanisée. J'étais par conséquent très heureux et fier d'être à CKLM, où on proclamait être «la seule station entièrement française». Montréal était agitée. Un gardien de caserne militaire venait de trouver la mort en marchant sur une bombe du FLQ. C'était l'émoi total dans tous les médias. De nombreuses grèves et des manifestations tournaient parfois à l'émeute. Montréal crépitait. C'était un temps d'énervement et nous étions, nous les jeunes, avides d'action et prêts à corriger toutes les injustices.

Mais Gilles a la nette impression que Guy D'Arcy le harcèle, que le vieux *radioman* a décidé de se pencher sur son cas:

– Jeune, je le détestais. En vieillissant, on arrive à mieux voir, à comprendre une certaine attitude patronale, celle de «garder la boutique ouverte». J'avais horreur de lui certains jours. Plus tard, j'ai compris: il avait des responsabilités. Moi, j'étais seul et imprudent... C'est puéril, je le sais, mais quand tu es jeune annonceur aux nouvelles, t'as l'impression quasiment d'agir sur l'histoire. Il faut m'imaginer, loin de mon usine bête, très jeune, en train d'expliquer l'affaire des missiles à Cuba entre John F. Kennedy et Fidel Castro! Je parlais de Lesage et de Lévesque, j'apprenais des mots tels que *Da Nang*, le *Têt*, *Huê* ou *Viêt-nam*! On en vient

Fernand Seguin, Michel Simon, Gilbert Bécaud... C'est l'époque CKLM.

à se prendre un peu pour un autre... C'était aussi délicieux qu'enfantin. Et puis, vite, j'ai senti que les gens respectent et admirent les travailleurs de la radio comme ceux des autres médias. À ce chapitre, le monde a changé. Une certaine candeur s'est effritée. Peut-être que c'est mieux comme ça...

En juin 1966, lorsque Daniel Johnson défait Jean Lesage aux élections provinciales, le nouveau chef de l'opposition n'en mène pas large! Lesage navigue sur un bateau fragile. Il parvient à se remettre à flot et, un an plus tard, au lendemain de la visite de De Gaulle, il prononce un discours à l'hôtel *Mont-Royal*, devant les membres de la chambre de commerce de Montréal. Gilles Proulx y assiste en tant que reporter.

Lesage se montre très arrogant. Il accuse le gouvernement Johnson de cryptoséparatisme, d'être incapable de se brancher, ne sachant faire la différence entre l'égalité et l'indépendance, alors que les libéraux, pendant six ans, avaient selon lui su dégager le principe du statut particulier. Le discours va bon train depuis une heure lorsque Lesage est subitement interrompu... Non, pas par Gilles Proulx! Dans la salle, un homme s'écroule. Raide mort! Jean Lesage met aussitôt fin à son allocution. En quête d'explications supplémentaires, Proulx se dirige vers Lesage qui avait fait porter l'ensemble de son discours sur le «miracle» du 22 juin 1960, jour de la victoire des libéraux sur le régime de Maurice Duplessis.

– Monsieur Lesage, acceptez-vous de m'accorder une entrevue?

– Écoutez, vous n'avez qu'à prendre une partie de mon discours...

– Oui, mais c'est justement sur le statut particulier, sur ce fameux 22 juin...

– Bon, je suis pressé. Alors, regroupez-vous, les journalistes...

Déjà prêt, Gilles s'élance:

– Monsieur Lesage, vous nous avez parlé du statut particulier, disant que Johnson nous faisait maintenant reculer... Si vous en avez eu un statut particulier, pourquoi vous en demandez un aujourd'hui?

Éberlué, le politicien le dévisage:

– Écoutez donc, vous, jeune blanc-bec, depuis quand êtes-vous né?

– Depuis le 22 juin 1960, monsieur Lesage...

Aussitôt, le superbe Lesage met la main sur le micro de Proulx:

– J'espère que tu diffuseras pas ça, toi là! Ça a pas de bons sens. Tu veux rire de moi?

– Non, mais vous n'avez pas cessé de proclamer qu'on avait un statut particulier alors que Johnson n'est pas capable d'en avoir un... C'est pour faire la souveraineté, peut-être?

Soudainement débalancé, Jean Lesage passe à un autre journaliste, à une autre question...

– On en vient à aimer l'histoire à force de faire ce travail, Même tout jeune, on se sent un intime du pouvoir. On perçoit la griserie de tout cela quand on commence. Je n'en revenais pas. Je faisais le frais et je n'étais qu'un petit amateur, un débutant!

Encore novice dans le métier, le petit Gilles Proulx allait se faire river son clou! Et ça n'allait pas tarder...

Un matin, après sa nuit passée au micro, le doyen de la radio au Québec, Roger Baulu, le réclame à son bureau. Gilles est convaincu qu'il s'agit d'un autre congédiement! Imposant, Baulu lui demande combien il faut d'années d'expérience pour être à l'aise au micro. Sûre d'elle, la recrue réplique: «Deux ans.» Baulu regarde Gilles droit dans les yeux et lui dit: «Dix ans, jeune homme! Dix ans!» Il comprend vite la leçon et ne cessera d'affirmer, au fil des ans, que le grand Roger Baulu avait totalement raison.

Mais le cœur a ses raisons, aurait dit Pascal, que la raison ne connaît point... Aussi, en juin 1966, Gilles Proulx épouse Lise Dauphin, une jeune et jolie caissière de la succursale de la Banque de Montréal à Verdun:

– En venant changer mon chèque de paye toutes les semaines, je me suis fais prendre par son charme...

L'année suivante, le couple s'enrichit d'un garçon, Nicolas:

– On a vite sauté dans le mariage. Pas de tataoui-
nage. Malheureusement, ce fut de courte durée. Lise
s'était liée au jeune mouvement fondé par mon camarade de radio, Jean-Marc Brunet. Encore bien jeune,

Lise et le petit Nicolas.

Jean-Marc était animé d'un
empressement qui en en-
combrait plus d'un. Il y a
dans tout mouvement se
voulant innovateur, voire
ici régénérateur, beaucoup
de zèle. Brunet va baptiser
Mouvement naturiste so-
cial sa mission laïque. Lise
s'y dévoue avec tant d'assi-
duité que je commence à
en prendre ombrage! Ça va
durer plusieurs années. À
l'époque, nous aimions rire
du Brunet qui faisait la
promotion des graines d'oiseaux pour humains! Pierre
Péladeau a contribué à re-
mettre Jean-Marc Brunet sur les rails, lui rappelant
sans cesse que «les affaires sont les affaires...» Aussi,
aujourd'hui, lorsque je vois Jean-Marc à la tête de son
empire, je m'aperçois bien que ce sont les moqueurs qui
étaient les moineaux... Cet aveuglement et cette totale
consécration au MNS de Brunet deviendront, par
contre, une sérieuse raison de mésentente entre Lise
et moi. Quand la séparation s'est faite, j'ai placé Nicolas chez mon frère Jacques jusqu'à ce qu'il se sépare

lui-même, quelques années plus tard, d'avec sa femme.

Entre 3 et 11 ans, le petit Nicolas habite donc chez son oncle Jacques. Il voit son père toutes les 2 semaines:

– Gilles n'a jamais fait preuve de grands débordements d'affection envers qui que ce soit. Quand je le voyais, c'était un père correct, ni plus ni moins. De caractère plutôt rigoureux, il laissait peu paraître ses sentiments. Sans me donner des conseils, il aimait beaucoup que je l'interroge. Il prenait plaisir à répondre à mes questions concernant une foule de sujets, accordant toutefois une priorité à ce qui le passionne depuis toujours, l'histoire. Il m'a fait beaucoup voyager: le Mexique, la France, l'Angleterre, l'Écosse et l'Irlande. Il était très exigeant et ça m'intimidait parfois, mais plus maintenant car nos rapports sont différents et nos discussions se font entre adultes. S'il ne m'a jamais encouragé à faire carrière comme lui dans le monde des communications, par contre, et là attention, mon père aurait aimé que je devienne... policier à la Sûreté du Québec! Sans doute parce que j'aimais beaucoup les sports et que j'étais en forme! Je me suis déjà classé au second rang aux Jeux du Québec en boxe amateur. Ça l'a sûrement impressionné! Je l'ai peut-être déçu, mais j'ai plutôt suivi un cours en graphisme. Je crois toujours que sa plus grande qualité reste sa franchise, sa sincérité. C'est un homme intègre qui déteste par-dessus tout l'injustice. Dommage qu'il soit souvent perçu comme un homme injuste.

Dans tout débat, la grande gueule pèse toujours le pour et le contre. Par exemple, il ne sera pas anti-*Mohawks*, mais anti-*Warriors*. Et c'est ainsi à tous les niveaux: racial, syndical, social, etc. Mais c'est pas possible comme il peut être impatient... Je ne l'ai pas baptisé le capitaine Haddock pour rien!

Impatient, certes, Gilles l'est, mais c'est de changer d'air. Depuis un certain temps, il lorgne du côté de la France. Il a la bougeotte, des fourmis dans les jambes, des oiseaux plein la tête! Il souhaite se perfectionner dans un autre milieu, plonger dans un autre monde, vivre ses rêves et s'ouvrir à de nouvelles expériences. Qu'on lui ait confié la couver-

Gilles Proulx en capitaine Haddock, caricaturé par son fils Nicolas!

ture du voyage de De Gaulle au Québec en 1967 a éveillé encore plus en lui cette curiosité évidente pour la France. Il s'inscrit donc auprès de l'Office franco-québécois pour la Jeunesse, que dirige alors Jean-Paul L'Allier, et décroche un stage d'études et de perfectionnement à Radio-Télévision Luxembourg

(RTL), à Paris. CKLM lui permet de prendre une année sabbatique. En compagnie d'une dizaine de boursiers québécois de l'OFQJ, Gilles s'envole vers l'Europe. Il pourra y procéder à une sorte d'examen de conscience et dresser le bilan de ses dernières années à l'antenne de nombreuses stations de radio.

À Paris, on se relève tant bien que mal des grandes manifestations de Mai 68. Gilles voit les redoutables CRS casser des manifestations.

– C'était plus impressionnant que nos polices à bedaine!

Pour son premier vrai voyage, Gilles s'installe dans le Quartier latin et va puiser aux sources mêmes de l'histoire. Ravi, il parcourt à pied la Ville Lumière, bouffe aux terrasses des cafés, flâne dans les jardins publics, visite les musées et, succombant à sa faiblesse légendaire pour les cours du soir, il s'instruit de la chose aux bras de jolies Parisiennes!

Mais pourquoi se contenter de la France quand autant de merveilleux pays frontaliers semblent prêts à vous accueillir?

– J'étais avec une jolie Acadienne, Marie-Claire Bourgeois, et on venait de passer Noël en Tunisie, un pays hautement intellectualisé qui conserve encore un fond français. Étudiante à l'université d'Aix-en-Provence, Marie-Claire souhaitait visiter le Magreb. On y fonce! Une nuit de pleine lune, dans les Atlas d'Algérie, on aperçoit des sangliers sauvages qui sortent du bois et attaquent tout ce qui bouge! Soudain, une voiture de police de frontière s'amène. C'est l'escorte jusqu'à la préfecture! Leur indépendance nationale n'a pas même 10 ans! On me questionne. Mercenaire? Aventurier? Espion? Je porte une veste de l'armée française et, sur une pochette, j'arbore le drapeau de la France. Je tente d'expliquer que je suis un Français mais du Québec. Alors, le policier algérien nous glisse un conseil:

– De Gaulle, le grand président de la France, vous l'a dit en 1967, n'est-ce pas? Ne traînez pas trop avec votre désir d'indépendance...

Marie-Claire, la belle Acadienne.

Et soudain, il nous relâche gentiment pour nous conduire à Constantine, loin des montagnes sauvages. Nous filons à Alger, puis au Maroc, un pays fantastique que j'aurai la chance de visiter pas moins de 10 fois.

Durant ce même séjour, la délégation du Québec envoie Gilles au Niger lors de la fondation de l'Agence de la francophonie. Il se rend aussi à Chypre avec l'Organisation des Nations Unies pour descendre ensuite plus au sud, en Israël:

– J'étais cassé comme un clou! On m'avait volé mon argent. J'habitais une minable pension malodorante de Tel Aviv. Je me souviens qu'il ne me restait

que quelques piastres dans mes poches. Je devais calculer pour ne pas dépenser plus de 30 $ par semaine. Allongé sur une plage, un peu perdu, inquiet de mon sort, je rencontre une belle jeune Juive du nom de Janis. Elle me plaît et, merveille, c'est réciproque. Je suis sauvé. Elle m'entraîne avec elle dans son hôtel, un *Hilton* luxueux! Jeune héritière d'une grande famille du Connecticut, son père lui fait voir le nouveau pays du peuple hébreu! Elle me dépanne, elle en a les moyens, c'est clair. Nous avons vécu une sorte de lune de miel! Par la suite, nous sommes allés à Paris. Cette beauté judéo-américaine aimait autant que moi la France. On faisait des projets. Je lui parlais de l'emmener à Montréal pour l'inscrire à l'université McGill. Le bonheur. Mais, un jour, crac! les parents ont été mis au courant de nos rêves. Adieu le petit quêteux! Papa Crésus ne voulait rien savoir d'une union hors du clan...

Sans doute par pure distraction, Gilles a oublié son travail à Montréal. Une note des patrons de CKLM lui suggère fortement de rentrer au bercail. Bourré de souvenirs, l'œil clair et le mollet gaillard, il reprend sa place derrière le micro. Un mois à peine plus tard, tout le Québec vivra à l'heure des événements d'Octobre 1970. Dans les médias, journalistes et animateurs connaîtront des moments d'effervescence inoubliables. L'excitation sera à son comble. Tout le monde y est!

Sauf Gilles Proulx...

5

FIGURE DE
PROULX

La scène se déroule de nuit dans un studio de CKLM...

– Mes patrons m'ont ordonné de me taire, c'est ce que je vais faire! Tant pis pour le reste... Si on ne veut plus m'entendre sur les ondes de CKLM, en avant la musique!

Clac! Rouge de colère, les mains moites et le souffle court, Roger Lebel, animateur chevronné à qui on a confié l'animation musicale de nuit, en perd son latin... Lui faire ça à lui! C'est inadmissible. Il en bégaye! Pour la dixième fois, il relit la note de service signée par le directeur de la programmation, Pierre Chouinard, lui ordonnant de palabrer un peu moins en ondes, de se la fermer plus souvent!

«Vous n'avez pas assez de talent pour improviser, dit la missive en substance. Contentez-vous de lire la météo et de faire les présentations d'usage. Rien de plus.»

Lebel jure à qui veut l'entendre que ça ne se passera pas comme ça! Oh non! Chouinard va en entendre parler!

Le lendemain matin, un chaud lundi, c'est le branle-bas de combat à CKLM. Pierre Chouinard claque la porte de son bureau et se dirige vers celui du grand manitou de la station, Guy D'Arcy. Pierre Chouinard exige une explication au mémo froissé qu'il tient nerveusement entre ses mains. Pourquoi Guy D'Arcy lui adresse-t-il ce chapelet de bêtises? Pourquoi l'enjoint-il de se mêler sur-le-champ de ses affaires? Pourquoi affirme-t-il qu'il n'a pas la trempe d'un directeur des programmes pour oser sermonner un homme aussi exceptionnel que Roger Lebel?

Désemparé, D'Arcy tente d'obtenir des explications de Lebel sur le genre d'émission qu'il a animée la veille et surtout sur ses commentaires acerbes en ouverture d'animation. Le patron s'est senti visé par une colère qu'il ne comprend guère!

Les trois hommes se rencontrent donc: Lebel somme Chouinard de changer d'attitude, Chouinard réclamant de D'Arcy un minimum d'information sur cette histoire de fous qui tient en haleine tous les employés de la station!

Ce soir-là, le téléphone retentit chez Lebel:

– Roger, mon vieux Roger, comment ça va?
– Ouais, pas trop pire. Tu sais, Gilles, on s'en est fait passer une crisse de belle entre les dents...
– J'm'ennuyais de toi, mon vieux Roger... Au fait, comment t'as aimé mon gag?
– P'tit tabarnak, c'était toi!
– J't'ai joué un tour, mon vieux Roger. J'm'ennuyais de toi... Je pouvais pas comprendre qu'on ait pu t'envoyer en pénitence la nuit.

Gilles Proulx est suspendu pour six semaines! Il a tout inventé, il a imité les signatures, créé cet imbroglio incroyable juste pour s'amuser. De retour de Paris, il trouvait que le babillard était un peu trop encombré de mémos variés. Il décide donc d'emprunter les signatures des patrons et de monter un canular dont Roger Lebel, qu'il aime beaucoup, fera les frais. Sans méchanceté. Parce qu'il s'ennuyait! Accusé d'avoir falsifié des documents, Gilles est menacé de congédiement. L'affaire va jusqu'en cour. L'arbitre juge qu'une simple suspension de travail suffira. Proulx n'aura d'autre choix que de suivre les événements d'Octobre de chez lui!

Une fois qu'il a purgé sa peine, l'enfant terrible réintègre la salle des nouvelles de CKLM. Il suit de près la crise d'Octobre, assiste au départ des felquistes vers Cuba et à la libération du diplomate britannique James Richard Cross. Il s'intéresse plus que jamais à la politique et à la montée du Parti québécois. René Lévesque l'intrigue. Son programme aussi. Mais dans l'esprit d'une trop grande partie de la population, PQ rime avec FLQ... Il n'en croit pas moins que si les gens arrivent à comprendre les enjeux véritables d'un vote souverainiste, sans tricherie ni mensonge, il y a des chances pour qu'un jour on assiste à un changement de situation. Trois ans plus tard, lors des élections provinciales de 1973, le Parti québécois trouve un candidat tout neuf pour sa circonscription d'Anjou... Proulx bat alors l'avocat Alain Brabant grâce à un fougueux discours dans lequel il se proclame disciple de Pierre Bourgault. Les 800 personnes présentes l'acclament avec délire!

Dans la jeune trentaine, Gilles attrape la rage du recyclage. Grâce à un ex-professeur du prestigieux collège Mont Saint-Louis, Gilles Léger, il s'inscrit à une série de cours au cegep Marie-Victorin, passe son diplôme d'études collégiales, poursuit un baccalauréat à l'Université du Québec à Montréal puis décroche une maîtrise en communications en 1980. Sa thèse porte sur les idéologies religieuses à la radio des années cinquante.

– Gilles Léger a été pour moi un détonateur de la connaissance. Redoutable adversaire de l'école du laisser-aller et du laisser-faire, Léger m'a inculqué des notions de dépassement, m'a encouragé dans la découverte de nouvelles idées. À Rousseau il opposait Pascal et à Kennedy Charles de Gaulle! Moi qui avais toujours refusé l'école, j'ai décidé d'en savoir plus, d'aller chercher ce qui me manquait. Fondateur d'une école privée, Léger m'a fait comprendre que discipline et acharnement vont de pair, qu'on soit de droite ou de gauche...

Au tout début de 1971, alors qu'Octobre brûle encore les actualités, bon nombre de Québécois éprouvent une sorte de confusion quant au FLQ, des sentiments partagés entre la honte et l'incertitude, entre la ferveur politique et les secrets de la clandestinité. Les jeunes enragés de la cause nationale, qui hypothèquent leur existence et prennent des risques énormes, provoquent autant la peur que l'admiration, la satisfaction ou la répulsion! On en discute partout, c'est le sujet du jour. Œuvrant au cœur même de l'actualité, par un pur hasard, Gilles Proulx entre en contact direct avec le FLQ lors d'une rencontre organisée, un rendez-vous aussi mystérieux que mémorable tenu secret jusqu'ici :

– Attablé dans un restaurant, je tombe par hasard sur un camarade des ondes, un ami de Chicoutimi. On discute de tout et de rien, jusqu'à ce qu'il me parle des événements d'Octobre et du FLQ. Il me laisse entendre qu'il a des contacts avec une certaine cellule felquiste! Piqué par la curiosité, je le fais parler. Le sujet n'avait pas encore perdu de son actualité. Des policiers ratissaient même partout à la recherche de Pierre Vallières. Je tente le coup :

– Tu pourrais me mettre en rapport avec les clandestins? Ça m'intéresse d'en connaître davantage sur le mouvement et, qui sait, peut-être d'apporter mon aide d'une façon ou d'une autre?

– Je vais m'informer et voir ce que je peux faire. Mais ce n'est pas moi qui décide. Ce sont eux qui choisissent...

De retour à la maison, anxieux, Gilles n'attend pas très longtemps. Le téléphone sonne. Il décroche. À l'autre bout du fil, une voix un peu hésitante ne lui laisse guère le temps d'argumenter :

– Ici, c'est Robert... Compris? Vous êtes bien Gilles? Oui. Bon. Demain matin, à 10 h 00, soyez à l'intersection de Pie-IX et Henri-Bourassa. Dix heures piles!

Soyez-y! Votre auto, quelle marque? quelle couleur? Bien. Vous verrez une station-service. Postez-vous là et attendez. Quelqu'un viendra. À bientôt...

L'homme raccroche! Les consignes sont claires. Mais voilà que soudain Gilles hésite. Nerveux, à la fois crispé et impatient, il balance: «Irai, irai pas?» Comment peut-il se compromettre à ce point? Longtemps, il tourne en rond, incapable de trouver l'apaisement. Il a des regrets. Et puis non, les premiers pas sont faits. «Diable! songe-t-il, dans quoi vais-je encore m'embarquer?»

Le lendemain matin, cœur battant, Gilles grimpe dans sa voiture et se pointe en vitesse au lieu-dit.

– Je me stationne à l'endroit indiqué la veille par ce Robert et j'attends... J'ai l'impression d'être espionné par chaque passant qui jette un coup d'œil dans ma direction. Et si c'était un piège, un traquenard monté de toutes pièces pour me coincer dans une sale affaire de terroristes? Soudain, je distingue une silhouette qui sort d'un restaurant. Elle se rapproche... Je n'en crois pas mes yeux! Mais oui, c'est bien lui en personne: Pierre Vallières! J'étais dans un film! Il ouvre la portière de ma voiture sport. Du cinéma! Je me disais qu'enfin je faisais partie intégrante de l'actualité, incorporé dans l'histoire qui se fait, qui se vit. Quel frisson! J'étais sorti de mon rôle d'observateur, de commentateur.

Pierre Vallières, surpris de constater que Gilles Proulx, l'animateur de radio, veut se compromettre, dicte la route à suivre à son nouveau chauffeur. Après un court silence gêné, Proulx engage la conversation et demande à Vallières:

– Tu as connu la fuite en 1966 et 1967, la terrible prison de l'État de New-York surnommée «*The Tombs*» et quelques-unes du Québec durant toute la durée de l'Exposition universelle. Comment as-tu pu subir tout ça et rester révolutionnaire?

Le reporter se souvient encore de la réponse de Vallières:

– Quand tu deviens un révolutionnaire, un vrai, il faut que toute ta vie soit orientée vers ce seul but: la révolution. À n'importe quel prix! Tu dois y être entièrement dévoué. Seule cette idée doit te motiver, jour et nuit...

Ces quelques mots exprimés franchement sur le ton de la confidence l'avaient ébranlé... Mais bien qu'on reprenne contact avec lui par la suite, il cesse d'accepter les invitations, les discussions. Il ne sait rien de cet inconnu, de ce soi-disant Robert qui lui téléphone. Peut-être est-il un agent double?

Jeune idéaliste, Gilles ne souhaitait que verser occasionnellement quelques dollars. Quant à Vallières, l'animateur Proulx aura un échange aigre-doux avec lui lors de la crise amérindienne, lorsque Vallières appuiera les *Mohawks*.

Proulx quitte bientôt le Québec pour un périple qui le conduira au Pérou, au Chili, en Argentine, au Brésil et enfin à Cuba, où il a une rencontre à caractère strictement journalistique à La Havane avec l'un des exilés du FLQ, Pierre Charette. Ce dernier a fui la justice américaine après avoir détourné un avion de la compagnie Eastern Airlines à Miami :

– Pour être franc, j'avais plus de sympathie pour le premier Front, celui des jeunes, plus nationalistes. À mon avis, les deux autres phases du FLQ visaient des objectifs à saveur trop communiste. C'était moins pour aider la nation française d'Amérique que pour mousser la lutte des classes. Ça faisait moins mon affaire.

Rivé au micro de CKLM, Gilles Proulx anime sa propre émission, *Antiquétainement vôtre*, dans laquelle il attaque fréquemment les journaux de Péladeau. À tel point que le grand patron de Quebecor l'invite à son bureau.

– Ouvrant la porte, je vois Péladeau qui écoute la pièce *1812* de Tchaïkovski. Je lui parle alors de la campagne de Russie de Napoléon. Il tombe de son siège ! Et comme pour le séduire, j'enchaîne avec quelques commentaires sur Honoré de Balzac, l'un de ses auteurs favoris. Voilà comment ce cher Pierre Péladeau a commencé à considérer un petit maudit bagarreur...

De plus en plus, Gilles travaille son style, se taille une petite réputation et impose peu à peu sa voix.

Après 10 ans de présence radiophonique, se souvenant des conseils judicieux de Roger Baulu, il se sent désormais à l'aise dans n'importe quel studio. Si confortable même qu'il publie un premier livre au début de 1972 aux Éditions de l'Homme: *Pour une radio civilisée.*

Dédiant cet ouvrage à Pierre Juneau, président du CRTC, à Jean-Paul L'Allier, ministre québécois des Communications, et à René Lévesque, l'auteur écrit qu'il veut faire connaître au public, mais surtout aux radiodiffuseurs, les criantes faiblesses de cette industrie dite de distinction. Conscient qu'en publiant cet essai il risque de se flanquer dans une position fort peu confortable, il annonce tout de go que, ses prises de position plaisant ou non, il continuera de croire en un Québec meilleur et plus français!

Guy D'Arcy, qui signe la préface du bouquin, trace un portrait fidèle du Gilles Proulx d'il y a 20 ans, prouvant que parfois, même si le cadre change, le tableau reste le même:

«Gilles Proulx a les dents dures et acérées: il les montre souvent mais, de fait, il ne mord jamais personne. On lui reprochera sans doute d'aboyer pendant que la caravane passe. Ce ne sera pas sans raison; mais il faudra tenir compte de son amour passionné pour son métier de *radioman,* qui, parfois, frise la frénésie. Heureusement, il réussit aisément à secouer l'aveuglement qui pourrait en découler. C'est là que le bouillant pamphlétaire cède le pas à l'excellent journaliste aux yeux et aux oreilles bien ouverts, à la tête refroidie et à la main chaude.»

Gilles a peut-être «la main chaude» mais, dans ce premier bouquin, il n'y va pas de main morte.

CJMS? Une station-radio remplie de pauvres «pepsis en Cadillac»! Télé-Métropole? «Le pauvre petit poste des Baptistes»! Cela lui vaudra de nombreux boycottages...

La couleur est donnée. Proulx frappe volontiers sur les préférences populaires, alors que certains intellos le qualifient de «quétaine rassis». Admirateur de Pierre Nadeau, aspirant secrètement entrer un jour dans le cénacle radio-canadien, il signe des articles dans *Le Devoir*, dirigé alors par nul autre que Claude Ryan! Proulx n'entrera à la salle des nouvelles de Radio-Canada qu'en 1976, l'année des Jeux olympiques de Montréal et l'année du Parti québécois!

Un peu plus de 10 ans après sa fondation, la station CKLM bat de l'aile. Elle ne parvient pas à se hisser aux premiers rangs de la radiophonie. La station sera vendue par ses fondateurs, tous gens du métier, à la famille Baribeau de Québec. Malgré certaines tentatives pour réorienter la programmation, rien n'y fait: on jette des sondes diverses, on divague, on hallucine, on joue rouge puis noir, on joue pair et impair, on tâtonne, on joue de la proue et de la poupe, on distribue des cartes à l'aveuglette. C'est l'inévitable cafouillis quand une société, une compagnie veut rapidement changer de cap, se renflouer et, en ce cas-ci, devenir populaire. On place aux commandes de ce drôle de navire un chanteur de charme parmi les plus aimables de la colonie artistique, Serge Laprade. Ce nouveau patron, et il le sait sans doute, aura peu de temps pour redresser... la mer elle-même! On peut imaginer facilement que Proulx, en pleine houle de «musique et chansons», n'y trouve guère son rôle, sa pâture. Habilement, il entre dans les secrets de la direction en séduisant la belle secrétaire de la station, Diane De La Chevrotière! Proulx aime le monde des nouvelles, la sphère des affaires publiques. Il en mange... Il cherche un public à convaincre, une tribune pour s'exprimer, une cause à défendre. On lui servira tout ça sur un plateau d'argent. Au menu du jour: une entrée en politique grillée, une brochette d'électeurs sauce Anjou et une chance de partager le gâteau au grand banquet des élus!

Excellent nageur, Gilles Proulx effectue un double plongeon: en politique active sous la bannière du Parti québécois et... dans les bras d'une jolie jeune femme qui deviendra sa seconde épouse!

6

ENTRE PASSION
ET AMBITION

Le candidat péquiste Gilles Proulx se prépare à entrer de plain-pied dans sa première campagne électorale. Il sait que ce ne sera pas facile d'affronter la puissante machine libérale de Robert Bourassa. L'image encore vivante des événements de 1970 reste gravée dans la mémoire de millions d'électeurs. Octobre a creusé des sillons si profonds que le peuple émerge à peine des tranchées de la peur. Gilles Proulx, orphelin de naissance en matière de patience et de diplomatie, devra jouer le jeu et démontrer qu'en certaines occasions il peut faire preuve de tact et d'humilité...

Une seule personne saura parfois l'en convaincre, du moins au tout début: une femme!

En compagnie de Roger Drolet, de CKVL, avec qui il vient de partager un repas dans un restaurant, Gilles se dirige vers sa voiture, une belle petite MG-Sport garée au coin de Maisonneuve et de la Montagne. Fatigué, il n'a qu'une idée en tête: rentrer chez lui. Passablement entamée, la nuit du 10 juin 1973 annonce un bel été. Drolet insiste pour aller boire le coup de l'étrier, mais Gilles refuse. L'autre ne se laisse pas désarçonner pour autant, si bien que son comparse finit par accepter et remonte en selle pour un dernier verre. On grimpe à l'étage de *Chez Bourgetel*, le disco-bar à la mode, rendez-vous du jet-set de l'époque. Quelques jolies filles s'attardent avant la fermeture imminente du bar. Gilles jette un coup d'œil rapide. Il y en a bien une qui retient son attention mais il n'est pas là pour draguer. Du moins jusqu'à ce que Drolet lui lance un défi...

– Wow! Gilles, as-tu vu la belle fille? J'te gage que t'as peur d'aller lui demander de danser!

Il ne faut jamais faire cela avec Gilles! Aussitôt, il se lève et invite la belle à danser. Elle a 25 ans, se nomme Marie-Louise Perreault et est dans l'enseignement: professeur... d'anglais! Ce soir-là, la jeune femme accompagne deux de ses copines avec qui elle a l'habitude de sortir. Ce n'est que très rarement qu'elle accepte de danser avec un gars, quitte à en froisser quelques-uns qui se demandent toujours ce qu'elle fait là.

– À cause de sa manière très *gentleman* de me demander à danser, raconte Marie-Louise, j'ai accepté. Une danse, deux danses... puis, la mélodie de l'heure, *Wild World* de Cat Stevens... Gilles n'allait plus s'asseoir! En fait, j'allais le savoir plus tard, il attendait un *slow* afin de pouvoir me serrer dans ses bras! Ça s'est produit avec Gilbert Bécaud qui chantait *Un peu d'amour, un peu d'amitié*. Née sous le signe du Poisson, je dansais avec un maquereau...

– Marie-Louise était jolie, instruite, nationaliste, intelligente et indépendante. Qu'aurais-je pu trouver de mieux? Nous avons discuté jusqu'à la fermeture du bar et elle a consenti à me laisser son numéro de téléphone.

Au moment de se quitter, elle lui demande sous quel signe astrologique il est né. Et lui de répliquer: «Maudite folle!» Elle aime sa franchise et sa façon directe de répondre... Mais tout ce qui intéresse la jeune femme à l'époque, c'est de voyager. Elle ne veut pas s'encombrer d'un gars. Quant à lui, en plus de trouver Marie-Louise de son goût, il s'accroche à un détail qu'il n'oubliera jamais. Ce soir-là, tout en s'éloignant, elle lui lance: «Au revoir, Gilles...» Le simple fait qu'elle l'appelle par son prénom l'a touché.

Elle avait vu le plumage, elle allait connaître le ramage! Tenace, il l'invite à quelques reprises. Elle refuse. Il insiste. Elle dit non. Il s'obstine. Elle accepte. Ils se rencontrent. C'est le coup de foudre!

Gilles entre dans une famille agréable et se lie d'amitié avec une farouche nationaliste, sa future belle-mère, Laurette Perreault. Bien que le couple soit follement amoureux, Marie-Louise ne change pas ses plans de vacances et part en automobile avec ses amies pour cinq semaines au Mexique. Quant à son prétendant, il s'envole pour Chypre et Israël avec les Forces armées canadiennes. Selon des témoins dignes de foi, Gilles aurait été d'une haute fidélité! De son propre aveu, il ne s'est jamais autant ennuyé d'une femme que de «grosse fille», sa bien-aimée à la taille de guêpe qu'il a ainsi baptisée affectueusement...

Libéré de CKLM, appuyé par Marie-Louise, Gilles Proulx se donne tout entier à la campagne électorale. Les libéraux envoient dans la mêlée un jeune avocat, Yves Tardif. Docile et attentif, instruit du programme du PQ, Gilles met toute la gomme: assemblées publiques, entrevues, porte-à-porte.

Bon accueil, les gens sont polis! Peut-on imaginer le gueulard d'aujourd'hui saluer poliment, sur les perrons, les braves ménagères embarrassées ou des commis préoccupés, les bons petits-bourgeois, cadres ambitieux ou blasés et désillusionnés? Les ouvriers spécialisés? Ceux qui ont d'autres chats à fouetter que de causer aimablement, porte entrouverte, avec cet ex-*radioman* découvert par le PQ? Quelquefois, peut-être, par solidarité...

Mais Proulx commet un impair! Durant la campagne, Roger Drolet l'invite pour une partie de la nuit à son micro de CKVL. Le candidat échange avec le public. Soudain, un auditeur intervient et lance:

– Vous savez, monsieur Proulx, vous êtes bien sympathiques, vous les péquistes, mais il paraît que si vous prenez le pouvoir le sang va couler dans le fleuve.

Gilles Proulx ironise:

– Ce n'est pas grave, monsieur, on le ramassera et on l'enverra à la Croix-Rouge...

Le lendemain, des libéraux inondent les ondes en affirmant que Proulx est en faveur de la violence... René Lévesque doit intervenir pour apprendre au néophyte la prudence en matière de politique.

La journée des élections, fixée au 29 octobre 1973, aura ce pouvoir magique de changer l'orientation de toute une vie. De tout faire basculer en un temps record. Les élus passeront dans un autre monde, abandonnant du jour au lendemain leur quotidien, appelés à prendre autant que possible les meilleures décisions pour le mieux-être d'un peuple. Mais quelle surprise leur réserve-t-on, de l'autre côté du mur?

Cette nuit-là, en s'endormant, sans trop savoir pourquoi, Gilles Proulx se rappelle son enfance. Il

Grand rassemblement Québécois vendredi le 26 octobre, 8 heures

René Lévesque et Gilles Proulx vous adresseront la parole

revoit les images lointaines d'un petit bonheur d'occasion: le son de la cloche, de l'autre côté du fleuve,
l'eau glauque du chenail et lui, à six ans, assis sur le
quai chez Leblanc à lancer des cailloux dans l'eau...
Une trêve dans le triste chapelet des querelles quoti-
diennes du père et de la mère d'un enfant espiègle,
certes, mais pas méchant... Tout juste avant de cha-
virer dans la nuit, Gilles revoit un gros bâtiment plein
de mystère avec ses allées imposantes, ses *bungalows*
usés tout autour et ses dépendances. Cet endroit, qui
faisait peur, attirait les jeunes du quartier. C'était un
asile, une maison de fous! Une clôture l'entourait,
comme pour les protéger. Certains soirs, on pouvait
même entendre des hurlements, des cris stridents. Il
en frissonnait d'effroi. Mais, pour des enfants, le monde
des aliénés peut paraître parfois excitant. Gilles ferme
les yeux en songeant à ce mur, souvent bien mince, qui
sépare les esprits forts des faibles d'esprit!

Le soir des élections, en avance jusqu'à 22 h 00, il
frappe un mur. Son adversaire, un jeune avocat libéral,
l'emporte par 631 voix. Le destin en a décidé ainsi.

Ses partisans pleurent. Même son propre père
était sur le point de devenir péquiste. Gilles prend le
micro:

– J'ai été battu. C'est tout. C'est final. Il me manquait quelques centaines de voix. Une seule voix qui
manque et tu rentres chez toi. C'est le jeu!

Le candidat défait en profite pour remercier enfin les nombreux morts du cimetière de l'est qui se sont levés pour aller voter contre lui...

Il a beau faire le coup de l'indifférent à l'échec, on devine que cette première tentative de séduire «le vrai monde» lui a infligé une blessure d'amour-propre. Longtemps, il réentend la voix de Bernard Derome qui annonçait lors du scrutin: «Dans Anjou, notre confrère Gilles Proulx est encore en avance...» Mais cet échec a sans doute contribué à construire l'homme. Il en a été marqué profondément. Parfois, Gilles y fait allusion quand des auditeurs l'invitent à l'action politique. Comme disait René Lévesque, son chef de 1973, certaines de ses colères viennent de ces rebuffades électorales. Gilles Proulx a l'étoffe des tribuns populaires, descendant involontaire de plusieurs personnages publics, héritier des Camillien Houde, Caouette, Duplessis, Bellemare, Marchand, Chevrette. Oui, Gilles Proulx, en d'autres circonstances, va devenir «naturellement» un politicien. Un chef aussi? Certainement. Désormais, vu sa notoriété, il n'acceptera plus de n'être qu'un aspirant *back bencher*. Blessé, le candidat-député d'Anjou n'est toutefois pas traumatisé. Trois ans plus tard, c'est la victoire de son parti d'élection, d'affection. Mais on peut comprendre qu'aucun parti politique ne sera jamais parfaitement au goût d'un critiqueur comme lui. Et ce, même s'il fondait son propre parti! Quelques jours après l'élection, lors de l'inauguration du nouvel édifice de Radio-Canada, Pierre Elliott Trudeau lui lance:

– Alors, l'aventure, c'est fini, jeune homme?

Gilles lui répond:

– Et vous, ça se poursuit avec votre police dé-montée? Avez-vous d'autres granges à faire brûler?

La GRC était accusée d'avoir fait brûler des granges en tentant de faire mettre le coup sur le dos du FLQ.

La présence de Marie-Louise au côté de Gilles met un baume sur la défaite. Dans l'attente d'animer enfin sa propre tribune radiophonique, il reprend sa place à CKLM. Son vœu le plus cher sera exaucé le 1er mars 1974: la station CKVL lui offre sa première tribune téléphonique! Fou comme un balai, il annonce la nouvelle à Marie-Louise, qui jubile de le voir si heureux. Gilles retourne dans son patelin, arpente les rues qui l'ont vu grandir, revoit quelques amis d'enfance et, du coup, retrouve une joie de vivre inhabituelle qui redonne un sens à son combat. Le 6 juillet de la même année, au palais de justice de Joliette, Gilles Proulx épouse Marie-Louise Perreault, pour le meilleur et pour le pire. Ils promettent de se soutenir mutuellement et de s'aider dans les bons comme dans les mauvais moments, jusqu'à ce que la mort les sépare...

Mais devant le protonotaire, le fiancé est déjà divisé... L'esprit du grand-père Mallette plane au-dessus de sa tête! Au moment même où la cérémonie commence, il interrompt l'officiant:

– Je ne me marierai jamais devant le drapeau du Canada!

– Pardon?

– S'il faut absolument un drapeau, un symbole, allez chercher celui du Québec... Ça presse!

Estomaqué, le protonotaire s'agite. Du côté des Perreault, les invités se demandent quelle sorte de fou la petite Marie-Louise se prépare à marier. Du côté des Proulx, on sourit... Le filet de cantiques qui siffle entre les dents serrées de celui qui préside la cérémonie laisse croire que le mariage sera béni par un prêtre! Les drapeaux changés, Gilles est satisfait.

Les nouveaux mariés filent vers Athènes et poursuivent leur voyage de noces en Égypte. Une mauvaise nouvelle les attend au retour. Gilles avait prévenu Marie-Louise: dans ce métier, si tu t'absentes trop longtemps, tu risques de tout perdre... Effectivement, CKVL a décidé de céder son émission à son remplaçant, Marc Trahan! Il avait goûté à la même médecine à CKLM en 1966 à son retour de voyage de noces avec sa première épouse, Lise Dauphin. Cent fois sur le métier... Gilles anime alors des émissions de second ordre, rédige quelques articles pour le magazine touristique *Évasion*, prend tout ce qui passe et parvient malgré tout à tirer son épingle du jeu.

Un midi de semaine, il reçoit en entrevue à CKVL l'ex-chef de l'Union nationale, M. Maurice Bellemare. Le bouillant politicien juge que son hôte fait preuve de partisanerie en faveur du Parti québécois et décide subitement de quitter le studio! Gilles le supplie de rester, sans quoi Jack Tietolman, son patron, va le foutre à la porte. Bellemare réfléchit quelques secondes et demande:

– Ce sont des libéraux, tes *boss*?

Du tac au tac, il réplique:

– Tous les *boss* sont libéraux, monsieur Bellemare...

Et le vieux lion de renchérir:

– Dans ce cas-là, baptême, j'vas rester avec toé pour te convertir à l'Union nationale!

Maurice Bellemare aurait sûrement été fier d'apprendre que la conversion de son vis-à-vis s'était accomplie auprès de Rodrigue Biron, un autre chef de l'Union nationale, devenu bon péquiste...

Mais voilà que déjà la cage est trop petite. Gilles étouffe. Il faut qu'il parte. N'importe où. Marie-Louise lui laisse une grande marge de manœuvre, beaucoup de liberté. Aussitôt qu'il le peut, il voyage. À la maison, il s'installe dans la salle à dîner, au bout de la table, et il pioche sans arrêt sur sa machine à écrire.

Mariée au «*doctor* Gilles», Marie-Louise va bientôt faire la connaissance de «*mister* Proulx»...

Le couple n'a jamais cohabité avant le mariage. Ils montraient donc le meilleur d'eux-mêmes à chacune de leurs rencontres. L'amoureux en mettait même toujours un peu plus lorsqu'il partageait sa couche avec sa belle les fins de semaine. Invité à une quelconque soirée mondaine, une fois marié, le couple se prépare. C'est l'harmonie. Pendant que Marie-Louise se maquille dans la salle de bains, Gilles s'habille dans la chambre à coucher. Elle l'entend soudain hurler:

– Tabarnak!

S'imaginant le pire, elle court dans la chambre et s'arrête net devant lui:

– Qu'est-ce qui se passe? T'es blessé?

– Câlisse de tabarnak! j'viens de casser mon lacet de soulier...

Enragé noir pour un lacet brisé! La fin du monde! L'apocalypse! À partir de ce jour, un rien déclenche la fureur du nouveau marié. Tout l'irrite, l'exaspère. Nerveux, stressé, il fulmine à la moindre occasion. Pour n'importe quoi. Des peccadilles. Et quand il n'a rien à se mettre sous la dent, il provoque.

– Ça devenait infernal de vivre avec lui. Autant il pouvait être attentif, amoureux, généreux et délicat, autant il pouvait être agressif, impatient, bête et méchant. Son arrogance ne connaît pas de limite. Comme la majorité de ses amis et connaissances, je pense qu'il ne s'en rend pas compte. Mais ne serait-ce que pour nous écœurer, il va dire le contraire. Un jour les fleurs, le lendemain les bêtises...

Le goinfre engueule sa femme chaque fois qu'elle lui fait un gâteau... Il est incapable de n'en manger qu'un seul morceau: il faut qu'il passe au travers! C'est donc la faute de Marie-Louise s'il engraisse! Comme toujours, il transfère sa culpabilité sur les autres. Il a une peur maladive de perdre le contrôle. Surtout sur lui-même. Confronté à quelque chose qu'il aime, impatient, il doit passer au travers tout de suite ou carrément ne pas y toucher. Que ce soit comme ça aussi avec les femmes n'étonnera personne... La femme et le gâteau pour Gilles...

– Il ne m'a jamais offert l'occasion de m'épanouir. Si aujourd'hui je déteste autant cuisiner, c'est parce qu'il m'a fait haïr ça! Un jour de Noël, avec son fils Nicolas que j'aime beaucoup, on se met d'accord pour organiser un petit souper à la maison, question de souligner l'événement. Pour moi, Noël est synonyme de fête, de cadeaux, de bonne bouffe, de joie de vivre. Dans la journée, je cours les magasins à la recherche de tourtières, de fromage, de bon vin, de pâtisseries et de tout ce qu'il faut pour passer une belle soirée. Mais en arrivant chez nous, le beau rêve s'écroule. Gilles se met à crier, fait une scène terrible et m'engueule comme jamais: j'avais eu le malheur d'acheter de la nourriture pour le souper de Noël! Il n'a jamais aimé les fêtes, les réunions où il y a plus de... trois personnes!

Insatisfait dans son travail, détesté de plusieurs, il fait subir à sa femme les contrecoups de ses frustrations. Elle va même jusqu'à lui demander si ça le dérange quand elle respire. Il l'envoie promener! Elle lui parle de divorcer.

– Quand je brandissais l'idée d'un divorce ou d'une séparation, il devenait tout doux. Piteux, assis sur le bord du lit, il ne disait mot, se contentant de regarder dans le vide. Comme un enfant pris sur le fait. Quand il savait qu'il était allé trop loin, il m'apportait des fleurs, un cadeau. Je voulais juste qu'il soit gentil avec moi, que l'on puisse vivre normalement, qu'il ne soit pas toujours en train de gueuler. Mais rien à faire. Le jour même où il est revenu d'un voyage à Cancun, au Mexique, mes sacs verts étaient pleins. Il trouvait que je donnais beaucoup de linge aux pauvres! «Gilles, je te quitte...» «Ben voyons donc! tu peux pas faire ça. On va se parler. On peut discuter. Qu'est-ce qui arrive?» «Ma décision est prise, je m'en vais.» C'est la seule fois où j'ai vu Gilles pleurer... J'étais bouleversée, confuse, mais il fallait que je parte. Il m'a aidée à mettre mes bagages dans l'auto. C'était une journée triste pour nous deux. J'avais envie de mourir!

Marie-Louise va habiter chez sa mère pour quelque temps. Deux jours après la séparation, Gilles se pointe. Sa femme est couchée, rideaux tirés. À genoux auprès du lit, il lui demande de revenir, d'essayer encore. Ils arrivent à un compromis: séparément, ils prendront l'été pour y réfléchir.

Depuis peu, Gilles travaille à la salle des nouvelles de Radio-Canada. Ça ne l'enchante pas tellement, mais c'est une nouvelle expérience, une corde de plus à sa harpe. Il passe l'été à faire la navette entre l'île des Sœurs et Pointe-Claire, parfois même deux fois par jour, pour aller voir sa femme, la suppliant de revenir le plus tôt possible à la maison. Mais Marie-Louise a besoin de mettre encore plus d'espace entre eux pour faire le point. Elle s'envole pour le Mexique. Gilles allait-il rester seul, sans attache? Pas du tout. Chaque jour, il va voir sa belle-mère, taille ses arbustes et guette le facteur. Enfin, à son retour de voyage, Marie-Louise décide de lui donner une chance et ils se remettent en ménage. Convaincu que Marie-Louise l'avait laissé à cause de leur appartement trop petit, il a loué un plus grand espace avec deux salles de bains et de grandes fenêtres avec vue sur le fleuve.

Manifestement, il ne connaissait rien aux femmes! La sienne aurait été prête à vivre dans une cabane en bois rond, pourvu qu'il soit un peu plus gentil, qu'il démontre un peu plus de chaleur, qu'il fasse preuve d'un peu plus de sensibilité.

Le vent du renouveau s'essouffle au bout d'un petit mois. L'époux redevient hargneux et infernal. De plus, ce qui n'arrange pas les choses, ayant quitté Radio-Canada, il se retrouve sans emploi.

– J'avais découvert assez rapidement une salle des nouvelles remplie de malheureux, tous surveillés sans cesse par des sbires stipendiés par Ottawa. À la BBC de Londres, si tu ne touches pas à la reine ni à la religion anglicane, tu as la paix et la liberté. À Radio-Canada, c'est la censure! Pire, la peur, donc l'autocensure. On

110

écoutait les autres stations radiophoniques et quand la nouvelle s'avérait le moindrement délicate au plan social ou politique, il y en avait un qui disait: «Bon, on peut y aller à notre tour, ils viennent d'en parler à tel ou tel poste...» Je n'en revenais pas! La liberté nichait donc vraiment chez les privés? On voulait garder son job, c'est correct, tout le monde a le droit de manger. Mais je côtoyais tous ces journalistes, parfois des talents solides, des pionniers de la profession qui étaient comme tenus en otage! C'était pas écrit. C'était plus subtil que ça. Dans le privé aussi, il y a un certain contrôle politico-financier. Par exemple, à CJMS, deux mots de travers contre le fédéralisme et tu te retrouvais vite fait à la rue. Il n'y avait pas cette liberté qu'on y trouve aujourd'hui, oh non! Désormais, Dieu merci, c'est le public le seul *boss* en fin de compte. Salut! Fais ta valise et va prendre l'air. Je suis d'accord avec cette loi implicite. À Radio-Canada, la satisfaction du public était une notion inconnue. Pas de vagues! Et les surveillants étaient nombreux: grands cadres, moyens cadres et petits pions zélés! J'ai quitté la place déçu, très désappointé. Moi qui m'étais imaginé que c'était le *nec plus ultra*, je découvrais une salle aux talents divers bêtement à la remorque des postes privés.

Âgé de 37 ans, Gilles connaît l'insécurité au quotidien et se pose de sérieuses questions sur son avenir. Homme d'action, il ne se laisse pas démonter pour autant. Et comment donc!

En 1977, aux élections municipales de Verdun, il se présente... à la mairie! Pas conseiller municipal, pas directeur général de la ville, non, il veut être élu maire de Verdun! Quatre ans après Anjou, il se lance dans une autre épuisante et folle campagne électorale. Marie-Louise, en véritable missionnaire, le soutient jusqu'au bout, jusqu'à mériter la béatification ou presque!

– Cela tenait de l'impossible, se remémore Marie-Louise. On devait encore se battre, et le mot est faible, contre toute la machine libérale de Caron, alors député. Même avec les péquistes derrière lui, même avec ses origines de petit gars de Verdun, Gilles montait à la guerre avec une fronde et quelques cailloux arrondis...

Mais quand Gilles Proulx s'est mis quelque chose dans la tête, seule la mort saurait l'arrêter! Et encore!

Installé au gouvernail de sa campagne électorale, il conduit ses troupes dans les rues de Verdun. Dans les circonstances, il ne peut trouver meilleure coéquipière que sa femme. Tous les jours, après son travail, c'est l'Halloween: déguisée en future épouse du maire, elle quête des votes de porte en porte. Ce n'est pas du bonbon! Elle promet, elle s'engage, elle donne sa parole: si Gilles est élu, elle fera tout pour Verdun au côté de son homme. Certains électeurs vont même jusqu'à penser que c'est elle qui se présente à la mairie...

Fidèle au poste le jour des élections, Marie-Louise se permet d'enfreindre gentiment la loi. La tête recouverte d'un petit capuchon beige, debout sous la pluie à la porte du centre communautaire de l'île des Sœurs converti en bureau de votation, la femme de Gilles Proulx serre la main des électeurs, les incitant le plus naturellement du monde à voter pour le gars de l'île... En face d'elle, de l'autre côté de la rue, des visages éberlués apparaissent aux fenêtres de l'immeuble: c'est le quartier général de l'équipe Caron! Quelques lascars s'amènent, entourent l'épouse trop zélée et tentent de créer un attroupement pour attirer l'attention des policiers qui n'auraient d'autre choix que de la mettre sous arrêt. Devinant leur stratégie, Marie-Louise bat en retraite jusqu'au restaurant le plus près, se commande un café et attend. Quelques minutes plus tard, elle se plante à nouveau devant les bureaux de scrutin pour accueillir les électeurs. Aussitôt que les gaillards rappliquent, la contrevenante se réfugie devant son café. Le manège se poursuit ainsi toute la journée... Un seul conseiller du Parti verdunois sera élu dans Verdun, Réjean Lacoste. Au lendemain des élections, Lucien Caron lui-même reconnaissait que Gilles Proulx avait épousé toute une femme!

Gilles devient de plus en plus amer et irascible. Marie-Louise décide alors de faire un pas en avant. Elle convainc son mari d'acheter une maison afin qu'un jour ils possèdent quelque chose de tangible, ne serait-ce qu'un toit permanent, un vrai chez-soi à décorer à leur goût, un nid d'amour pour recevoir, pourquoi pas, un jour, une éventuelle cigogne à bec rose! Gilles avait même trouvé un prénom: Geneviève...

Emballé par le projet, débordant d'enthousiasme, il parcourt la planète à la recherche d'une résidence!

Des canadiennes, des pièces sur pièces, des victo-
riennes, des modernes et des anciennes, au bord de
l'eau, en rase campagne, en plein bois ou à flanc de
montagne, il visite des maisons! Marie-Louise en
choisit une à Pointe-Claire. Pour l'instant, elle fera
l'affaire!

Gilles n'est pas homme à remplir des boîtes de
déménagement. Encore moins à les transporter. Pendant un mois, elle s'occupe de tout. Gilles ne se pointe
qu'une seule fois à leur nouvelle maison pour constater
l'évolution des travaux. La journée prévue pour le déménagement, soit le 1er mai, monsieur est au Portugal.
Il doit rentrer le lendemain seulement. Il ne s'en
sauvera pas comme ça. Marie-Louise reporte la grande
corvée au lendemain, jour de l'arrivée de son mari. Il
n'a pas le choix, il doit donner un coup de main. Il
aimerait tellement pouvoir aider un peu plus, mais ce
sacré mal de dos le prend toujours par surprise...

– Dans notre maison de Pointe-Claire, c'est vite
devenu l'enfer! En pleine rénovation, c'est normal de
voir des fils électriques pendre du plafond ou de marcher sur un plancher de bois avant la pose des tapis.
Non! Pas pour Gilles Proulx! On avait quitté la chic île
des Sœurs pour venir s'installer dans une «chiotte»...
Dépressive, malade, je pleurais pour un rien. Je n'en
pouvais tout simplement plus.

Le 10 août 1978, les larmes aux yeux, Gilles fait
ses valises et quitte définitivement sa «grosse fille», sa
Marie-Louise, sa deuxième femme pour aller vivre à

gauche et à droite, même chez son futur recherchiste Réjean Brazeau, avant de s'installer au sous-sol d'une maison cossue de Westmount.

Plus tard, il lui avouera:

– Comment veux-tu que j'aime quelqu'un? Je ne m'aime même pas moi-même...

7

PARTI POUR
LA GLOIRE

– J'avais confiance, assure Gilles. J'ai toujours eu de l'affection pour ce vieux roublard de Tietolman. Cet homme avait de l'ambition. Il a été déçu cruellement quand le CRTC lui a refusé un permis de télévision. Faut dire qu'il n'avait pas su s'entourer habilement pour la présentation de la demande de permis. Et c'est essentiel. Avec Jack, la station aurait vu le jour, créant ainsi une foule d'emplois. Mais on a donné le permis à de bons serviteurs rouges. L'argent s'est volatilisé et, avant même l'ouverture, ce fut la faillite. Plus tard, c'est Jean Pouliot qui obtiendra un tel permis pour fonder Télévision Quatre Saisons.

Gilles cherche un emploi. Il se tourne vers Jack Tietolman, qui l'avait engagé quatre ans plus tôt, en 1974. Le mouton noir fait acte d'humilité, avoue au patron de CKVL qu'il a eu sa leçon, qu'il a maintenant besoin de travailler, et lui promet qu'il ne touchera plus à la politique. Prudent, Tietolman veut réfléchir, il questionne son entourage. En fait, il craint de perdre une partie de son auditoire en engageant un animateur désormais identifié aux séparatistes. C'est dangereux de faire peur au monde. Mais Tietolman a toujours eu du respect pour Gilles Proulx. L'homme lui laisse un espoir: la promesse de le rappeler dans un mois.

Promesse tenue jour pour jour, Jack Tietolman téléphone:

– C'est correct, c'est arrangé. J'ai une *job* pour toué, mon d'Gilles...
– Pas vrai? C'est quoi?
– Une ligne sur les voyages. Une tribune téléphonique! T'aimes ça les voyages, ben là tu vas pouvoir en parler...

Le reporter va reprendre du service, poursuivre son rêve: la radio. Il anime donc une émission à saveur touristique. Aux commandes de son micro, notre Marco Polo survole la Terre, reçoit de grands voyageurs, traverse mille frontières et jette l'ancre où bon lui semble. Il peut évoquer ses propres expériences et comparer ses aventures avec celles de ses invités. Parce que l'explorateur Proulx a lui-même connu quelques voyages périlleux.

Ainsi, il est à Chypre en juillet 1974 au moment où l'archevêque de la communauté orthodoxe, Makarios III, est renversé par un coup d'État de l'armée turque. Gilles doit évacuer le *Ledra Palace* sous une pluie d'obus. Il traverse à Beyrouth où la guerre vient de commencer. Au petit déjeuner à l'hôtel *Napoléon*, on lui conseille de fuir le plus rapidement possible car une bombe a transpercé le mur du restaurant. Plus tard, c'est en visitant Sabra et Chatila avec des représentants de l'ONU qu'il évalue l'ampleur de la frustration des Palestiniens sans Palestine. Sous escorte du al-Fatah, il ne croise que des gens amers contre Israël qui ne sortiront de ces «nids de haine» que quelques années plus tard lorsque l'armée de la Tsahal entreprendra l'opération plus ou moins réussie de «Paix en

Galilée». Aussi intrépide que Bob Morane, Gilles file sur Damas en Syrie, ne s'arrêtant que dans l'ancienne cité phénicienne de Baalbek, dans une superbe vallée dont les temples furent construits par Alexandre le Grand. L'Ulysse québécois se souvient qu'à Damas les voleurs étaient tellement habiles qu'ils auraient pu dérober l'or des dents des touristes tout en continuant à jaser! Et de Damas, c'est la fuite en Égypte. À l'aéroport du Caire, il assiste impuissant et horrifié à l'exécution d'un arrogant Yankee ayant osé se moquer d'une musulmane tournée vers la Mecque pour la prière du vendredi!

– À Jérusalem, que j'ai visitée à trois occasions, j'ai éprouvé une sensation bizarre, se rappelle-t-il. Était-ce bien là que le fils de Dieu avait contesté les notables? La tour d'Antonia, où Pilate avait condamné le Christ, était encore là! De même que j'avais sous les yeux la piscine où Marie-Madeleine lavait les pieds du Seigneur! Près du jardin des Oliviers, en zone palestinienne, une volée de cailloux me tombe dessus. Mon fils Nicolas et moi, nous courons nous réfugier dans un couvent français en attendant l'arrivée d'une jeep israélienne...

Il est là, en 1975, lors du cruel avril à Saigon. Nguyên Van Thiêu vient de quitter les lieux en catastrophe. Il observe, dans le ciel vietnamien, un indescriptible ballet d'hélicoptères de la *US Army* qui ramènent vers les bateaux de guerre, au large, les derniers amis du régime saigonnais.

À Dakar en 1983, il est invité à enseigner le journalisme radio. Au domicile de son futur patron, Babacar Sine, la grande fête d'accueil se déroule au jardin. Tout en discutant, Gilles remarque au fond du terrain qu'un domestique agite vigoureusement un balai. On le rassure: ce n'est qu'un cobra venu lui souhaiter la bienvenue! Un après-midi, en plein milieu d'un cours à l'université de Dakar, un élève l'interrompt tandis que tous les autres se précipitent par terre: une nuée de guêpes bourdonnaient au-dessus d'eux...

Avec l'ex-président du Sénégal, le poète Léopold Sédar Senghor.

– Je me souviendrai toujours d'un très beau voyage en Irlande du Nord avec Nicolas. De ma vie, je n'ai jamais été aussi fouillé que lors de ce périple. On ne pouvait même pas entrer dans un dépanneur sans être examinés sous toutes les coutures par les soldats britanniques. Nous avons découvert ensemble les beautés de l'Écosse, pour nous diriger ensuite vers Londres.

Ainsi, dès que l'occasion se présente, il fait ses valises et s'évade du quotidien québécois. De cette manière, il prolonge sa chronique touristique, qui n'aura tenu l'antenne que trois mois à CKVL. Il travaille à la salle des nouvelles, fait des remplacements et anime quelques émissions, dont certaines tribunes téléphoniques. Il se familiarise de plus en plus avec des entrevues de grande envergure, interviewant des personnalités de l'actualité mondiale. Il rejoint ainsi les Ted Kennedy, Brigitte Bardot ou encore, se faisant passer pour un avocat, Jean-Claude Duvalier dans sa chambre d'hôtel. L'un de ses appels les plus fructueux du temps remonte à la prise en otages des diplomates américains à Téhéran lors de l'arrivée d'exil de l'ayatollah Khomeiny:

– De mon studio, je tente sans arrêt d'obtenir l'ambassade américaine à Téhéran. Une téléphoniste du réseau international me répète: «Le monde entier essaie la même chose, monsieur!» Je ne laisse pas tomber pour autant. Ce métier m'a appris que l'on peut aller loin avec un peu de persévérance, une bonne dose d'énergie, un soupçon de fermeté et beaucoup d'entêtement. Après quelques heures d'essais infructueux, j'ai enfin quelqu'un en bout de ligne: là-bas, en pleine agitation, un brigadier ayatolliste a décidé d'en finir avec cette sonnerie lancinante. Toute la conversation a porté sur le désir des «fanatiques» de ramener le Shah en Iran pour le juger et le condamner à mort. Une équipe de la télévision anglaise de CTV débarque en trombe à CKVL pour me filmer en entrevue exclusive.

Une fois de plus, Gilles Proulx fait la manchette des médias anglophones alors que ses confrères de la presse francophone l'ignorent et souvent même le méprisent.

Mais sa ténacité lui rapporte. À l'automne 1979, Andréanne Bournival de Radio-Québec propose son nom pour animer une émission télévisée, *Recours*, axée sur la défense des consommateurs. On présente cette série durant deux ans, consacrant une troisième année à des reprises.

Aimé ou détesté, le nom de Gilles Proulx s'impose petit à petit. En janvier 1980, Céline Martin, de la faculté de l'éducation permanente de l'Université de Montréal, lui offre un poste de chargé de cours en journalisme et communication. Il assumera, non sans heurts, cette nouvelle responsabilité jusqu'à l'automne 1991. Considéré par la majorité de ses étudiants comme un bon enseignant, il n'en brise pas moins une contestation le jour où quelques-uns d'entre eux n'acceptent pas la faible note allouée par leur professeur. Il ressort les travaux de tous ses élèves, en fait une analyse publique et considère finalement que c'est toute la classe qui mérite de mauvaises notes!

Malgré ses nouvelles activités, il ne s'endort pas au micro de CKVL. Indomptable, il recommence même à s'amuser, aux dépens, cette fois, de ses auditeurs.

– Une rumeur folle circulait depuis un certain temps à l'effet que Pierre Elliott Trudeau allait donner sa démission. Mais personne ne voulait le confirmer et, surtout, personne ne pouvait avancer une date, même hypothétique. Un de ces matins, rigole encore Gilles, je m'arrange avec l'imitateur Claude Landré et annonce que Trudeau, subitement terrassé par la lassitude, donne sa démission:

«Mesdames et messieurs, ça y est. Comme nous l'annoncions en exclusivité il y a quelques instants, Trudeau sort du *ring*. Nous essayons actuellement de rejoindre M. Trudeau à sa résidence du 24, Sussex Drive. Dès que nous aurons plus de détails à ce sujet, soyez assurés que vous serez les premiers informés...»

Là-dessus, Gilles quitte les ondes et fait place à quelques publicités.

«Mesdames et messieurs, ayant appris que Gilles Proulx de CKVL venait d'annoncer la nouvelle au sujet de son retrait de la vie politique, M. Trudeau vient d'entrer en contact avec nous, ce que nous considérons comme un honneur. Nous l'avons au bout du fil: Monsieur Trudeau, bonjour... Dites-nous, est-ce que vous pouvez confirmer immédiatement cette nouvelle qui a eu l'effet d'une bombe dans tous les milieux politiques ce matin, soit votre démission prochaine en tant que premier ministre du Canada?»

Claude Landré imite un Trudeau nasillard à la perfection:

«Eh bien, oui... C'est vrai... Je m'en vais... Je quitte...»

Ce fut un vrai branle-bas partout à Montréal. Les téléphones de vérification arrivaient de partout: attachés de presse et chefs de cabinet, stations de radio et de télévision, chefs d'entreprises, syndicats, etc. Mais il y avait pire: le coup du duo Proulx-Landré prend au piège Claude Ryan qui, en campagne électorale pour les élections de 1981, rend un bel hommage à Trudeau! Le péquiste Marcel Léger saute sur l'occasion et déclare:

«Si le chef du Parti libéral se fait prendre par un canular de Gilles Proulx de CKVL, imaginez ce que ce sera s'il est élu!»

Pendant que nos deux comiques se tordent de rire, le gag fait le tour du pays: de Halifax à Vancouver, de Saint-Jean, Terre-Neuve, à Toronto, tous les journaux du lendemain ne parlent que de ce... poisson d'avril inusité qui a mis en nage tout le pays! Sous la signature de Daniel Marsolais, *La Presse* reconnaît que Gilles Proulx a imaginé le meilleur poisson d'avril de l'année.

TED
BLACKMAN

April Fool prank got Claude Ryan

GOOD MORNING: Radio stations' did their April Fool's schtick yesterday (switching deejays, moving the Big O to Boston, bringing Gump Worsley out of retirement) and the city survived, but one of the Poissons d'Avril threw the Claude Ryan entourage into a good half-hour flap.

CKVL called on actor-impersonator Claude Landry to play Pierre Elliott Trudeau. On a morning when Newfoundland's court decision on patriation was hot news, "Trudeau" said he was fed up with these legal setbacks, mentioned provincial resources and Newfie's "fish" several times, and announced his resignation.

Quebec Liberal party officials heard the story, bought it all and immediately telephoned Pierre Pettigrew in Chicoutimi. Ryan's chief aide, up there with his leader for a campaign stop, bolted out of bed and raced to his boss' hotel room for the shocking turn of events.

Bolting past Mrs. Ryan, who was blow-drying her hair, Pettigrew blurted out the news and began putting together a statement of reaction for the press. They headed down to breakfast, still trying to fabricate the proper text, when they bumped into reporters who let them in on the gag.

– Aussi invraisemblable que cela puisse paraître, personne ne s'était rendu compte que cette journée-là, nous étions le 1ᵉʳ avril! Quelle belle prise! Le soir même, je partais visiter le Grand Canyon pour quatre jours. Le lendemain, puisque je n'étais pas au micro pour commenter la fausse nouvelle, la rumeur a voulu que, vu l'énormité de ma plaisanterie, CKVL ait décidé de me congédier.

Les journées ne sont pas toutes faites d'humour. Loin de là...

Un ancien bon camarade, celui-là même qui l'amena à CKLM dans le temps, se dirige un matin vers CBF, sa station à lui. D'habitude rieur et bon vivant, il a été bousculé, on l'a mis sur une voie de garage. L'homme, encore jeune, a pris sa carabine avant de quitter son foyer et dans les toilettes de Radio-Canada, bang! il s'est suicidé! L'ami Pierre Chouinard vient de se tuer!

– C'est un métier terrible. On peut questionner tous les gens du milieu: il faut se faire aimer, rester populaire, briller et avoir l'air en forme même les mauvais jours. Malgré tous les problèmes de ta vie privée, tu dois souvent faire semblant et porter le masque de la bonne humeur, sachant stimuler ton auditoire. Un jour, tout va bien. Le lendemain, on t'annonce un déplacement ou ton congédiement. Mais l'animateur doit sourire, sinon il risque de voir se profiler, dans l'ombre, une tablette. Pour certains, c'est la peur. On est des clowns, des saltimbanques. Ta cote a baissé, va faire ton numéro ailleurs...

Parfois, Gilles pense à ce qu'il serait devenu si Drolet ne l'avait pas entraîné à l'étage du *Bourgetel*. Où en serait-il aujourd'hui? Que retient-il de ces années qui ont suivi son second mariage?

– C'était pas simple. Marie-Louise avait d'abord souhaité avoir un enfant. Moi, j'hésitais... Quand ça s'est gâté entre nous, cinq années avaient filé. C'était en 1978, après ma tentative avortée de prendre la mairie de Verdun. J'ai réalisé que je n'avais pas eu de jeunesse! Ou pas véritablement une jeunesse comme j'aurais souhaité en avoir une.

S'ensuit un défilé d'amours variées, de liaisons brèves et d'autres plus longues:

– Après l'héritière Janis, avant la longue parenthèse Marie-Louise, pas encore victime de cette folle idée de ne plus m'attacher à personne, je fais la rencontre d'une mignonne hirondelle! Elle se nommait Nicole. Encore le coup de foudre. Cette histoire a débuté à l'hôtel *LaSalle* en 1971. J'avais une conférence à couvrir. Elle était là! Vénus vivante! élégante, un vrai mannequin de magazine aux cheveux de jais, si noirs, si beaux! J'en suis aussitôt devenu comme fou. Repas le soir même, danse par la suite. La flèche maudite du petit dieu taquin. Je suis ficelé, c'est pas long. Elle aussi, j'espérais.

Mais cette Nicole si jolie a un tempérament de montagnes russes...

– Elle était têtue et jouait à la petite futée, me ré-
pétant: «Des hommes, tu sais, j'ai qu'à claquer des
doigts et je peux en avoir tant que je veux!» Une fille
minée, je dirais, capricieuse et en proie à d'étranges dé-
sespoirs. Un matin, j'en ai eu assez, je l'ai quittée en
laissant une note: «Salut, Nicole, et bonne chance!»
Ma coupe débordait et j'avais peur. Je la voyais comme
une femme à rendre fou un singe de course, ma créatrice de modes de Valleyfield. Je suis resté 15 ans sans
jamais la revoir cette Nicole qui se tourmentait et me
tourmentait tant.

Au bar des *Beaux Jeudis*, 15 ans plus tard, sous la
houlette de celui qu'on appelait «monsieur le maire du
centre-ville», Pierre Gourd, Gilles va vivre une autre
soirée de drague, une soirée plutôt... surprenante.

– J'aperçois une blonde superbe, de type allemande.
Je demande à Gourd, lui qui connaît toute la clientèle,
qui est cette femme si belle qu'elle en semble irréelle?
Comme il n'en sait rien, je me rapproche doucement.
Je finaude. Je tourne autour de la blonde incendiaire,
je capte des bribes de conversation avec d'autres filles,
ses copines. Elle lâche des noms de villes lointaines et
parle de boutiques huppées à Hong-kong! Oh la la! le
jet set, très peu pour moi! Je me refroidis. Puis voilà
qu'elle me remarque et paraît allumée. Je me lance et
lui dis que je fais «des études sur le comportement de
la faune humaine féminine». Je niaise... Elle dit qu'elle
vient de Valleyfield et semble guetter ma réaction. Elle
finit par éclater de rire! Cette blonde, c'était la noi-
reaude Nicole. Elle s'était mariée à un ministre qué-

bécois important. Comme ils avaient cassé, nous voilà recollés ensemble et cela va durer trois ans. C'était comme si nous avions rebranché le fil électrique et que tout se remettait à fonctionner.

Ce retour de flamme ne devait être que temporaire car cette femme était vraiment trop globe-trotter pour Gilles. Toujours en voyage, mère de trois enfants, ça devenait trop compliqué et le couple a fini par rompre.

– J'en ai connu de tous les genres. Des bêtes et des brillantes. Charlyne, une petite beauté, la seule peut-être à pouvoir se vanter de m'avoir mis k.-o.! Puis Nicole, de Longueuil, et l'angélique Louise qui travaillait chez Bell Canada. Ginette Maurais, qui fut long-temps et est encore ma recherchiste pour *Le Journal du midi* à CJMS. Dans le cadre de notre travail, on se voit tous les jours et on s'entend bien. J'ai en connu une qui était médecin, une

Charlyne, gagnante par k.-o.!

autre notaire! Une commerçante, une avocate, une vétérinaire. Des hôtesses de l'air, des danseuses, des esthéticiennes. Eh oui! Et comme on me demande souvent ce que je pense, je vais le dire: à mon avis, les meilleures d'entre toutes, ce sont les moins fortunées, les moins instruites, les plus modestes. Elle m'ont donné les plus fortes émotions, les plus beaux moments d'amour. Oui, des coiffeuses, des serveuses, des commis... J'entends d'ici les commentaires peu flatteurs à mon endroit: «Ben, voyons donc, c'est clair comme de l'eau de roche... Proulx a besoin de se faire servir, de dominer tout le temps. C'est son côté macho!» À tous ces détracteurs, à tous ceux et celles qui colportent des ragots à mon égard, à tous ces jaloux de mes amours, je dis: Non, non et non! Ce sont elles, les petites, les dans l'ombre et les modestes qui font les meilleures amantes, généreuses, tendres, affectueuses et sensuelles, les plus aptes aux plaisirs, au bonheur...

Les femmes, toutes les femmes, constituent un inépuisable sujet pour Gilles Proulx.

– Il faut que je parle d'une autre beauté, une Haïtienne, mulâtre. Je l'appelais... ma Doudou. Il faisait beau soleil, c'était un temps doux, en avril. J'avais un cadeau à dénicher dans une boutique de l'ouest de la ville. Et, comme un coup de poignard, paf! la voilà qui marche devant moi! Je la dépasse, je la vois mieux, oui, un corps de déesse, une démarche d'une grâce... Me voilà envoûté par cette beauté d'ailleurs. Des cheveux de soie, un visage de rêve. Je me décide et à un coin de rue, je me rapproche tout près et j'ose, un peu niais: «Mademoiselle? Avez-vous vu? Regardez, au ciel! On peut voir un satellite.» Je lui pointe un coin du firmament. Elle éclate de rire aussitôt. Ça a commencé par un simple café. Elle m'avait dit: «Je vous reconnais! Vous êtes Gilles Proulx de la radio. Mes parents vous écoutent.» Ça s'est terminé au bout de six mois.

Il prend une mine d'enfant boudeur, un regard désolé. Pourquoi ça n'a pas marché plus longtemps avec la belle Haïtienne?

– Je vais l'avouer, elle m'a drôlement ajusté le cadran... Elle m'a dit un jour, alors que nous étions à Nice: «Tu es trop vieux pour moi!» Bang! J'ai eu mal rare! Elle avait sans doute raison. Au début, c'était la joie. Mêmes goûts... C'est toujours ce qu'on dit. Tous les deux on adorait la France, l'histoire. Plus jeune, elle avait étudié à Paris. Elle m'a jeté! Ça donne tout un coup à l'ego...

À travers ses escapades et ses aventures sans lendemain, Gilles rebondit un soir chez une fille rencontrée par hasard aux *Beaux Jeudis*. Au très petit matin, son quart de travail débutant à 5 h 30, l'Adam d'une nuit s'habille en douceur pour ne pas réveiller Ève qui dort. Cherchant ses vêtements à tâtons dans le noir, il entend une sorte de frottement bizarre dans la pièce d'à côté. Bof, la nuit a été bonne, pourquoi y porter attention? Mais la curiosité de Gilles ne connaissant pas de limites, sur la pointe des orteils, les souliers dans la main, il s'avance dans l'obscurité... Il retient son souffle, passe la tête dans l'embrasure, cherche de sa main libre le commutateur, le trouve et, d'un coup sec, allume... Un serpent long comme deux bras lui souhaite le bonjour matinal! Il n'est jamais retourné chez la charmeuse!

Capable de délicatesse à certaines heures et en certaines occasions, le fuyard reçoit un appel au lendemain d'une autre rencontre improvisée. Connaissant de réputation son Casanova, la femme demande:

— Bonjour, Gilles, c'est moi, on a passé la nuit ensemble... Est-ce que tu me reconnais?
— Mais, bien sûr, évidemment...
— Je suis à l'hôpital et j'aimerais que tu viennes me voir. Est-ce que c'est possible?
— À l'hôpital? Mais qu'as-tu, ma chérie?
— Pas grand-chose, une petite opération banale. Viens donc me voir...

Logiquement, elle ne peut se savoir enceinte. Tout de même, c'est arrivé la veille! Pareil pour le coup de la dame aux... chlamydias! Le séducteur se rend donc à l'hôpital, les bras chargés d'un bouquet de politesses. Advienne que pourra. Il entre dans l'immense salle et tombe nez à nez sur une vingtaine de jeunes filles: elles ont toutes l'appendice nasal plâtré! Sans aucune hésitation, fin limier, il se dirige immédiatement vers sa Cléopâtre, l'embrasse, lui prend les mains et lui remet ses fleurs, qu'elle ne sentira jamais d'ailleurs! Il la regarde avec compassion, heureux de pouvoir la réconforter un moment lorsque, du fond de la salle, une voix nasillarde lui crie: «Espèce de corniaud, c'est pas elle!»

Gilles Proulx a souvent été accusé de s'attaquer sans raison aux féministes.

— Je ne condamne pas en bloc le mouvement féministe. Sauf quand j'ai dans la face des exemples flagrants de grosses tartes qui, au nom de la libération, agissent en pleine contradiction avec elles-mêmes, avec les gestes qu'elles posent quotidiennement. Comme celle-ci qui, au souper, refuse catégoriquement de servir à son mari le poulet qu'elle vient de faire cuire. Une heure plus tard, elle change de costume pour en servir 250 à ses clients chez *St-Hubert*! Même chose pour l'autre qui ne veut pas laver en même temps que son propre linge les caleçons de son conjoint et qui travaille à la laverie du quartier à décrotter les dessous de tout le monde! En pleine tribune téléphonique, une femme me fait remarquer que le couple Untel tient depuis plus de 20 ans et que monsieur est toujours aux genoux de sa femme. Bien sûr que ça existe. Je conçois que des couples puissent s'aimer et se respecter toute leur vie. Mais, comme je le faisais remarquer à cette auditrice, dans la grande majorité des cas, monsieur couche depuis 17 ans au sous-sol, près de la fournaise, tandis que le chien de la maison dort avec madame...

Un mode de vie que Kiki et son maître ne connaîtront sans doute jamais!

8

LE FOU DEVENU
ROI...

Pour beaucoup de gens, tout se joue dans la jeune quarantaine: la maturité et l'expérience entraînent souvent le changement. Ensuite, viennent la chance et le coup de pouce du destin. Gilles Proulx n'y est pas étranger. Pour ses 44 ans, la vie lui offre un cadeau: *Le Journal du midi*. Ce cadeau, il devra le mériter par tout un éventail d'épreuves, par un travail acharné. Sans jamais paraître essoufflé, il devra se battre tous les jours, inventer des formules, créer des images. Son image.

L'avenir du commentateur s'est souvent construit sur des refus. En 1983, le directeur des émissions à CKAC et responsable du réseau, Raynald Brière, lui fait une offre: animateur du matin à CKCV, Québec!

– C'était le seul gars, venant de l'extérieur, capable de faire face à André Arthur, qui faisait la pluie et le beau temps le matin à Québec, explique Raynald Brière. Nous connaissions Gilles pour sa fougue, sa détermination à toute épreuve, son audace et son aptitude à traiter tous les dossiers, tant au niveau local qu'international. En plus, il était populiste, sensible aux problèmes des gens, à leur condition, à la répression dont sont souvent victimes les humbles. Lui-même enfant du peuple, il comprenait l'essentiel: il faut se battre pour survivre!

Gilles refuse cet emploi. Pas question de tout déménager, de recommencer à Québec, de revenir à Montréal, de repartir à... Non. Il y est, il y reste. Il n'a pas travaillé à se bâtir une réputation pendant 20 ans pour se faire oublier du revers de la main. D'instinct, il sent que quelque chose de nouveau se prépare: ça fait trop longtemps qu'il ne se passe rien dans le petit monde de la radio. Il faut que ça bouge. Mais quand? Où?

La réponse ne tarde pas. En mars 1984, Normand Beauchamp, Paul-Émile Beaulne et Raynald Brière, les piliers de la station montréalaise CKAC, ceux que l'on a surnommés les trois B de la radio, deviennent les nouvelles têtes dirigeantes de la station CJMS 1280.

À ce moment-là, Gilles fait plus ou moins carrière dans l'ombre à CKVL, tout en étant titulaire d'une tribune éditoriale quotidienne intitulée *CKOI-Commentaires* pour la station sœur FM de CKVL. Étant donné la grande popularité de CKOI, qui rejoint une foule d'auditeurs, les commentaires de Gilles ont beaucoup d'impact et de succès auprès du public.

– Sans crier gare, je me fais foutre à la porte de CKOI. Dans une lettre laconique, le directeur Malcolm Scott m'avise que l'on n'a plus besoin de mes services. Je perds donc mon salaire de 300 $ par semaine, ce qui représentait beaucoup pour moi. Avec CKVL comme seul revenu à la radio, il me restait mes cours à l'Université de Montréal ainsi qu'un contrat d'enseignement dans une école privée, l'Institut Image et Son 2000, au côté des Andréanne Lafond, Rolande Perreault et autres. Bref, ça n'allait pas très fort! De plus, invoquant des raisons de rationalisation et d'ancienneté syndicale, on me pénalise en m'envoyant de nuit à CKVL. Je fais équipe avec Claude Poirier, qui lui vient d'être catapulté de nuit. On est en quelque sorte tous les deux en pénitence, alors que quelques mois auparavant, Poirier, Richard Morency et moi formions un trio très offensif en matière de nouvelles et d'information générale. Nous n'étions plus dans les faveurs de la direction.

Richard Morency, un excellent ami pour qui il a beaucoup de respect, quitte CKVL pour CKAC. Bien qu'il aime travailler avec Claude Poirier, Gilles se sent très seul:

– Un mois après mon congédiement de CKOI, j'apprends avec étonnement de la part d'un représentant des ventes que c'est l'agence de publicité du Groupe Jean Coutu qui a fait pression auprès de la direction pour que je vide les lieux à cause d'un commentaire un peu trop mordant sur les pharmacies de cet homme d'affaires. En substance, je me moquais de la publicité de ces pharmacies grandes comme des entrepôts qui disait: «On trouve de tout, même un ami» mais où l'on devait enjamber des caisses d'huile à moteur avant de le retrouver dans le fin fond de l'entrepôt! Mon ironie n'avait pas été appréciée...

Franchement déçu, il commence à utiliser un ton plus hargneux à l'égard de son employeur. Il ne se gêne pas pour traiter CKVL de grange ou de «Radio-cabane à sucre»! Un jour qu'il a planifié la visite d'une station radiophonique avec ses étudiants adultes de l'Université de Montréal, le prof décide de les amener à CKAC plutôt qu'à CKVL:

– Vers 19 h 00, au moment où on entre à CKAC, je croise le patron, Paul-Émile Beaulne, qui sort. On se salue devant l'ascenseur et Beaulne m'annonce que très bientôt j'aurai une surprise! Une très grosse surprise! À la blague, je lui fais remarquer que je m'élève au-dessus de la concurrence et que j'ai choisi sa station pour une visite d'étudiants.

La bombe éclate quelques semaines plus tard dans le monde des communications avec la prise de possession de CJMS par le trio tapageur des trois B. La station, lancée en 1953 par l'équipe de *La Bonne Chanson* de l'abbé Gadbois et entrée en ondes le 23 avril de l'année suivante, connaît de sérieuses difficultés 30 ans plus tard. Son maigre auditoire risque de compromettre son avenir. La programmation est défaillante, les employés peu motivés, les annonceurs de plus en plus rares. La nouvelle équipe a beaucoup de pain sur la planche pour redonner du poil à la bête moribonde. Tout le monde devra se relever les manches et mettre la main à la pâte. La rentabilisation de l'entreprise devient le premier objectif.

Dès son arrivée, la trio tient parole: on offre à Gilles Proulx, en avril 1984, la direction de l'information à CJMS. Ce fut de très courte durée... Avec tout le tact, la finesse, le doigté, la diplomatie dont il sait faire preuve, il a réussi à se brouiller avec la majorité des journalistes et reporters, qui en somme n'exigeaient plus qu'une seule chose de lui: sa peau! Ils auront eu sa tête... Gilles les a baptisés les pygmées!

– On voulait créer une véritable émission d'affaires publiques le midi à CJMS, explique Brière. On lui a demandé de nous présenter des animateurs fiables et dynamiques capables d'affronter n'importe qui et n'importe quoi en ondes. Il propose les noms de Mathias Rioux, Jean Cournoyer et Denis Hardy, ancien ministre des Affaires culturelles du Québec sous Bourassa. On fait des essais enregistrés hors-ondes pour sonder les capacités, un «démo» dans le jargon du métier, mais ce n'est pas satisfaisant. Ça ne correspondait pas à l'idée, à la manière, au style qu'on voulait donner à cette émission. Pressé par le temps, nous souhaitions que notre nouvel animateur d'affaires publiques puisse s'ajuster durant l'été pour bondir en lion dans la jungle de l'actualité dès septembre. Les recherchistes Sylvia Côté et Carole Noël jugent que Proulx mérite lui aussi un essai. Pourquoi pas? À brûle-pourpoint, on lui demande d'enregistrer un «démo». Le lundi 18 juin 1984, c'est le coup d'envoi du *Journal du midi*, le premier journal sonore de l'actualité, avec Gilles Proulx.

Logiquement, afin de se consacrer tout entier à son nouveau poste, il ne pouvait cumuler les fonctions de directeur de l'information et d'animateur. Une réunion avec les journalistes, convoquée par Brière, avait failli tourner à la bagarre. Il fallait installer au plus vite le piranha solitaire dans son aquarium et le nourrir de nouvelles fraîches!

On cède son siège à l'information à un jeune et brillant journaliste de 24 ans, Paul Arcand, qui avait fait ses armes à la station CKBS de Saint-Hyacinthe, sa ville natale, avant d'entrer à CKVL où il fait la connaisssance de Gilles, puis à CJMS. Doté d'une faculté d'analyse peu commune, avide d'information, curieux et vif d'esprit, Paul Arcand deviendra quelques années plus tard animateur du matin à CJMS. Aujourd'hui, sans honte, il avoue avec candeur être le seul ami de Gilles... Tous les matins, il n'a pas le choix, Arcand accueille Gilles à son bureau transformé en ambassade suisse affichant une neutralité exemplaire. Voilà qu'un chroniqueur à barbe s'amène, suivi d'un employé, suivi à son tour par le producteur de l'émission du matin et directeur de l'information, Philippe Châtillon. Gilles fait les cent pas, arrose son monde d'invectives, provoque et attend les réactions. Le ton monte, les esprits s'échauffent, les mots se gonflent et les injures pleuvent: «Vous ne connaissez rien, bande de...» L'ambassadeur Arcand s'interpose, calme l'un, tempère l'autre et sonne la fin de la récréation. Soulagés, les coucous retournent à leurs nids... Paul Arcand tire la chasse de son cabinet... Jusqu'au lendemain matin, puisque l'ambassadeur ne reçoit qu'à heure fixe!

Les deux recherchistes de Gilles entrent tôt le matin. Chaque jour, il faut puiser une dizaine de sujets différents dans l'actualité. L'approche américaine est privilégiée: les recherchistes doivent trouver, peu importe comment, le sujet inédit, la nouvelle qui fera la différence. Avec le producteur Michel Tremblay, l'équipe se regroupe à 8 h 30 pour suggérer une liste de sujets potentiels. Puisque c'est Gilles qui a le dernier mot, il faut parfois le convaincre de la nécessité de traiter de tel sujet, argumenter et défendre sa trouvaille. S'il est de mauvais poil, c'est la messe basse! Il refuse tout ou presque. Une fois qu'on a convenu du menu, le tigre regagne son studio et les recherchistes se précipitent sur le téléphone pour rejoindre tous ceux et celles qui font l'actualité, les convaincre d'accorder une entrevue et en planifier l'horaire. La majorité des entrevues sont enregistrées préalablement, sauf quelques rares exceptions qui passeront en direct. Jusqu'à 11 h 15 environ, Gilles réalise ses entrevues, aidé de son technicien qui le supporte depuis le début, Pierre «sur 4 roues» Charette. Et à 11 h 30 précises, l'indicatif musical du *Journal du midi* annonce le départ. Gilles ne quittera le studio qu'à 14 h 30, une heure après l'ouverture de sa tribune téléphonique.

Il est certain que, depuis ce 18 juin 1984, l'allure, le rythme, le style de l'émission ont subi des transformations et connu des améliorations importantes pour répondre et s'adapter aux besoins des auditeurs, aux nouvelles tendances et exigences du AM. Au *Journal du midi*, la seule chose qui a évolué sans changer, c'est l'animateur. Certains diront sans doute qu'il a régressé mais, chose certaine, il n'a pas changé: il est toujours aussi fou qu'avant!

En 1984, lors de la visite du pape, Gilles Proulx avait animé une émission en compagnie du cardinal Léger.

Sa nomination aux affaires publiques de CJMS le place dans un contexte qu'il adore: le défi! Et ce nouveau défi est de taille! Il a un nom et une réputation, de l'expérience et de l'élan, de la majesté et de la gloire. C'est l'animateur le plus écouté au pays, le roi de la controverse, le plus aimé et le plus détesté à la fois: Pierre Pascau.

Le souverain a fait de CKAC sa forteresse et bien malin qui saura l'en détrôner. Il orchestre son émission comme il l'entend et traite ses sujets comme bon lui semble. Aucune concurrence, aucune opposition. Il faut être fou pour même penser à le déloger.

Un fou justement a tenté le coup...

9

LE JOURNAL DU MIDI

LES STATIONS QUI DIFFUSENT
LE JOURNAL DU MIDI

CJTR - *Trois-Rivières*
CJRC - *Gatineau*
CJRP - *Québec*
CJRS - *Sherbrooke*
CKRS - *Jonquière*
CKSM - *Shawinigan*
CKTL - *Plessisville*

Gilles Proulx part de loin. De très loin. Même avec la meilleure volonté du monde, le lourd mandat qu'on lui a confié de battre Pierre Pascau ne peut se réaliser du jour au lendemain. Il reconnaît lui-même que malgré sa grande gueule, nécessaire dans ce métier, son rival a des qualités, de la culture, du vocabulaire. On le charge de livrer bataille à une véritable institution!

– C'était une commande incroyable, concède Raynald Brière. Comparée à CKAC, notre portée d'antenne était ridicule. À la base, nous ne pouvions rejoindre autant d'auditeurs en périphérie de Montréal que CKAC. De plus, nos équipements désuets ne nous permettaient pas de faire preuve de beaucoup d'originalité dans la composition des montages ou dans la création d'effets sonores adaptés à certaines situations particulières. Enfin, le moral des troupes s'apparentait aux résultats des sondages: très bas! Mais je savais que Gilles était fondamentalement un bagarreur, un *street fighter*, un vrai batailleur de rue au sens imagé du terme. Je me disais aussi que la formule de Pascau et Pascau lui-même finiraient par s'user. Nous avons donc élaboré une stratégie basée sur ce principe. Farouche nationaliste, Gilles était beaucoup plus proche des Québécois que pouvait l'être son rival. Je pensais qu'avec le temps il finirait par toucher les cordes sensibles des Québécois francophones. S'il y parvenait, j'étais convaincu qu'un

jour le nom de Gilles Proulx ferait partie des ha-
bitudes d'écoute de la radio le midi. On était prêts à
investir dans lui et à attendre. À la direction, c'était
l'unanimité: il travaillait tellement fort et avec un si
grand acharnement qu'il était impossible qu'il ne
puisse un jour être reconnu.

Devant l'adversaire, notre boxeur ne se décourage
jamais. Il bûche et pioche pour soutirer quelques auditeurs à Pascau, crie plus fort pour en attirer de nouveaux, ne manque jamais une occasion de faire parler
de lui, descend aux enfers pour combattre les ennemis
de la langue française et, comme un diable dans l'eau
bénite, émerge au cœur d'un débat politique, impose
ses idées, applaudit l'un et condamne l'autre! Il donne
le vertige. Il essouffle. Il incendie. Et autour de lui, on
suffoque!

– Il criait, chicanait, provoquait, se fâchait, nous
engueulait, nous traitait de tous les noms mais, se souvient Raynald Brière, il se présentait en grande forme à
CJMS très tôt le matin pour faire son émission. Et ça
continue depuis 10 ans. Parfois, les vagues sont un peu
plus hautes, le papier un peu plus rugueux ou la soupe
un peu plus chaude, mais Gilles, c'est Gilles...

Le héros du film *Good Morning Vietnam*, joué par
l'acteur Robin Williams, annonce ses couleurs et s'exprime franchement dès son arrivée au camp militaire.
C'est le succès instantané parmi les troupes. La recette de Proulx est exactement la même: de la vie, du

rythme, de la vérité, du *punch*, des dénonciations, des rires moqueurs, une technique sonore adéquate et un zeste de folie.

Il expérimente sa recette, mélange tous les ingrédients, a beau saupoudrer ici et brasser là, rien n'y fait. Il y a un os dans la moulinette. Quelque chose accroche. Mais quoi?

– Gilles et moi n'étions pas satisfaits, révèle Michel Tremblay, son recherchiste devenu producteur de l'émission et également directeur des sports à CJMS. Les premiers sondages frisaient la catastrophe avec 60 000 auditeurs au quart d'heure! Ce qui signifie qu'au plus fort de son émission au moins 60 000 personnes l'ont écouté pendant 15 minutes. Avec ce maigre résultat, il devenait cependant le premier compteur de l'équipe, Huguette Proulx lui ayant cédé l'antenne à 32 000 au quart d'heure. Au sondage d'été 1986, on avait atteint les 106 000 auditeurs pour le meilleur quart d'heure. Nous étions en nette progression, mais pour une partie seulement de l'émission. Avec Pascau, la locomotive de CKAC, c'était la guerre. Sans croire que nous pouvions le rejoindre en quelques mois, même en deux ou trois ans, il importait de se faire un nom dans la grande région de Montréal. Pourtant, même avec tous nos efforts, ça n'avançait pas assez vite à notre goût. Mais on a trouvé la faille: elle venait directement de chez Pascau! Avant d'accorder une entrevue aux gens qui se retrouvaient, d'une façon ou d'une autre, au cœur de l'actualité, Pascau exigeait l'exclusivité. Aussi, lorsque nous tentions d'obtenir une entrevue avec ces mêmes personnes, elles refusaient parce qu'elles avaient promis à Pascau de ne parler qu'à lui. Gilles a porté plainte au Conseil de presse mais Pascau n'a pas été blâmé. On a donc retroussé nos manches pour travailler encore plus fort.

En jouant des coudes, le nouvel animateur fait sa place. En plus de s'acharner à vouloir sortir CJMS du coma, il se fixe un objectif:

– Si je réveille une personne, ne serait-ce qu'une seule par jour, mon job est fait. Ça me suffit!

À partir de là, Gilles Proulx fait à sa tête et ne compte sur personne d'autre que lui-même. Il est simple, naturel. Il ne pose pas, il est un des animateurs les plus naturels au Québec. Mais dès qu'il met la main sur la porte du studio, qu'il entre et qu'elle se referme sur lui, dès qu'il dépose ses papiers sur le bureau, dès qu'il ajuste le micro à sa portée, dès que le lumineux rouge s'allume pour lui donner la voie libre, l'homme pénètre dans une autre dimension, dans un univers connu de lui seul, dans son carré de sable sur sa planète! D'une concentration totale, il apparaît comme hors de son corps, hors du monde réel, «à la même hauteur que les satellites», aime-t-il dire lui-même. C'est fascinant! Durant les pauses, il se lève, arpente le studio, ramasse une poussière, se frotte le visage, s'assoit, se relève, se plie, grogne, grimace, se penche, se redresse. Il est un autre. Il est seul et il est nombreux. Il murmure, tance, conseille, fulmine, déconseille, blâme et encourage en même temps. Il est aux aguets de la moindre déclaration, du moindre faux pas. Tous les jours, trois heures durant, le cosmonaute part en orbite et fait le tour de la question. Et, comme tous les enfants du monde privés de leur manège quotidien, Gilles Proulx s'ennuie le dimanche...

Mais toute la semaine, bon joueur, il garde toujours un atout dans son jeu. Dès le début, il a appris une chose essentielle dans ce métier: la patience est bonne conseillère! Jeune, il n'était qu'un deux de pique sur le carreau. Puis, sans sourciller, il s'est fait valet de pied au service des grands personnages. Tout autour, on se battait pour le titre de roi. Lui, il visait encore plus haut: il voulait devenir un as!

L'aspirant s'amuse à mêler les cartes... Alors que tous ses concurrents le provoquent, l'insultent, cherchent un affrontement public et guettent une réaction agressive, voire violente, il feint l'indifférence et ignore complètement la pluie d'injures et de grossièretés qui s'abat sur lui. Il ne réplique qu'au moment choisi par lui.

Le fin renard gagne du terrain. S'il veut mettre la patte sur la poule aux œufs d'or, il doit rivaliser d'adresse et de ruse. Mais Proulx n'est quand même pas né d'hier. Il sait qu'à vouloir trop soigner son image, on disparaît parfois dans le brouillard. Aussi, la meilleure façon pour lui de se hisser au sommet des émissions d'affaires publiques, c'est encore de faire son travail le plus honnêtement possible en laissant aux poules sans tête le soin de se chamailler dans leur basse-cour respective. Et

Gilles Proulx n'est pas homme à se cacher derrière la grange pour surveiller le poulailler. Fidèle à lui-même, il joue cartes sur table. Pas de tricherie. Que ça plaise ou non, il dit ce qu'il pense. Point final. Que les autres aillent se faire voir ailleurs!

Le Journal du midi n'allait pas devenir le carrefour de la complaisance, le centre de distribution des «nénanes» pour téteux en mal de publicité! La rigueur et la mollesse n'ont jamais fait bon ménage. Depuis ses modestes débuts à la radio, Gilles Proulx s'en était toujours tenu à une seule ligne de conduite, n'avait adhéré qu'à un seul parti, celui de la vérité. Son émission aurait chaviré dans un tas de merde qu'il aurait préféré mourir noyé plutôt que de ramer à contre-courant de ses idées!

Écœuré de voir les Québécois s'enliser comme des mouches depuis des siècles dans la mélasse du fédéralisme, dégoûté au point de vomir de tous ces sarcasmes hypocrites d'une bande d'anglophones unilingues et hautains qui pissent sur le Québec, révolté par la nonchalance des imposteurs à double face qui nous gouvernent, faussaires véreux et cachottiers, il décide d'affronter et de dénoncer tous les magouilleurs et tripoteurs qui s'engraissent, sourire aux lèvres, sur le dos des petits, des opprimés, des vulnérables qui en ont plein le cul! Mais du même souffle, il sera impitoyable envers les tricheurs et les profiteurs, inflexible devant les fraudeurs et les lâches, sans pitié pour les crapules, fussent-ils juges ou avocats, syndicats ou patrons, policiers ou simples citoyens. Au beau milieu de la quarantaine, il est atteint d'une maladie infectieuse et contagieuse due à un virus qui se fixe sur le cerveau et provoque, de façon générale, un état d'agitation allant jusqu'au délire furieux: la rage!

Bien qu'il n'ait jamais mordu personne, il va se mettre à aboyer de plus belle aux fesses du système.

– C'est bien simple, j'ai toujours été déçu de voir ce peuple québécois reculer trop souvent, de constater qu'il refusait toujours de conduire sa propre voiture. Je tente de défendre les citoyens peureux. Un pays à faire naître n'est pas une mince affaire face aux peurs entretenues par les collaborateurs du fédéralisme.

Imperturbable, il poursuit:

– Seulement la question de nos écoles, contrôlées par nous, s'est mal réglée. L'école publique devrait rivaliser de compétence avec toutes les écoles du monde. La jeunesse désapprend. On désapprend en histoire. C'est une tragédie nationale! Plein de générations montantes ignorent d'où nous venons. Donc, qui nous sommes. Même chose en français: c'est l'horreur! Adieu rigueur et bonjour mollesse! Et alors que cette déchéance linguistique sévit, les racistes d'Alliance-Québec en profitent pour inviter nos gouvernants à affaiblir encore davantage le français, la langue fragile de 2 % de Nord-Américains, à rogner dans la Charte qui protégeait un peu le français. Et les pouvoirs, ces tas de colonisés, consentent volontiers à charcuter la loi 101. Et plus grave encore, on assiste à

une dégringolade en règle du civisme et de la morale. De la religion. Mais oui! On est cernés d'imbéciles ignares qui ne savent même pas ce que nous devons, collectivement, au clergé, malgré ses lacunes. C'est pourtant clair et net, on lui doit notre existence elle-même!

Et il enchaîne sur le même ton:

– Le milieu culturel a glorifié le parler joual, Yvon Deschamps en tête! Le monde tout autour et même les médias font du nivellement par le bas pour paraître démocrates. La Révolution tranquille, au début, prônait pourtant la conquête d'une identité culturelle, puis économique et sociale. Beau résultat! Nos chers grands mentors de la finance se sont effoirés, faillite après faillite. Les échecs économiques se multiplient.

Le marché libre avec les États-Unis amplifie les banqueroutes. Quelques bandits *warriors* de la contrebande dictent la conduite des élus de tout un peuple. Avec l'arrivée des casinos et des loteries, on mélange loisirs et redressement économique. Partout c'est le règne des droits. Silence total sur les devoirs. Le laxisme idiot! Les syndicats font de la casse. Des juges, à la Andrée Ruffo, cajolent les pires délinquants. On protège la voyoucratie. Un criminel notoire devient un petit bébé à qui on offre du gâteau, motel-condo-prison, avec en prime des camps de ski et des bateaux à voile. Une farce! Ajoutons à tout cela le sentiment de culpabilité aux mille sauces: faut pas brimer nos Anglais, nos pédérastes, nos *Warriors*, nos *mafiosi*... La merde partout! Oui, nous sommes un peuple de niais, un peuple de Ding et Dong...

Lui-même a eu à lutter pour se construire, asseoir ses convictions, former son jugement, se constituer quelques balises, se fixer un minimum de critères, un code à lui. Dans ce contexte, il doit aussi pouvoir assumer ses dénonciations et s'attendre à recevoir des coups. Si quelques-unes de ses victimes encaissent sans broncher, d'autres ont choisi de l'affronter et de le traîner en justice. S'il peut paraître facile d'accuser un nom connu, une vedette, un animateur, encore faut-il pouvoir aller jusqu'au bout, jusque sur la place publique, et prouver que l'on a été injustement lapidé par celui ou celle qui s'emporte, qui accuse.

Gilles Proulx ne fait pas d'ulcère de toutes ces poursuites légales (illégales, dira-t-il) qui surviennent souvent au moment où il défend avec acharnement une idée, un principe, une façon toujours bien personnelle de convaincre son public d'une injustice, d'un travers de société qui va à l'encontre de sa pensée et, du coup, rejoint ses auditeurs. Il revient rarement sur sa parole, à moins d'un profond changement dans un dossier important ou de l'évolution inattendue d'une cause, d'un projet.

Lorsque l'animateur fouette, ébouillante ou écrase avec une logique déconcertante toutes ces idées préconçues qui n'ont d'autre fondement que le profit et l'intérêt basés sur l'incrédulité de gens prêts à accepter n'importe quoi de n'importe qui, il risque souvent de choquer, d'égratigner et même de blesser les principaux intéressés. Il est viscéralement incapable de supporter la bêtise pas plus que tous ces vendeurs du temple qui profitent à répétition de la naïveté, du statut social ou de l'âge avancé de certaines gens pour leur soutirer leurs maigres économies. Alors, forcément, il gueule, sort ses griffes et dénonce toutes les flagrantes injustices. Et inévitablement, il fait l'objet de poursuites en libelles diffamatoires, proie facile pour ceux qui guettent, dans l'ombre, le moment opportun d'une vengeance, l'occasion rêvée de ne faire qu'une bouchée de cet animateur vicieux à la langue trop bien pendue.

Mais l'important dans ce genre de guérilla est de savoir reconnaître le vrai du faux. Gilles Proulx, au sommet des provocations, a déjà fait l'objet de poursuites de toutes sortes pour un montant d'un peu plus de 2 000 000 $! La majorité d'entre elles font suite à des déclarations en ondes alors qu'il demande à ses auditeurs d'appuyer une cause, de défendre une idée, de harceler une entreprise, de beurrer une compagnie qui refuse et s'obstine à ne pas vouloir respecter les droits de la majorité!

Les montants des poursuites varient selon la gravité de l'offense, l'incitation à commettre la faute, le degré et la force de l'insulte ou plus simplement le désir pour l'avocat d'acheter un modèle plus récent de Mercedes... Les chiffres oscillent entre 1 000 000 $, 850 000 $, 150 000 $ ou, comme ce fut le cas, 98 999 $. Aussi, à de nombreuses occasions, les intentions de poursuites se résument aux menaces habituelles de se prendre «un avocat, monsieur Proulx, parce que là, vous avez été trop loin et que si vous ne vous excusez pas publiquement, vous vous exposez à payer très cher vos écœuranteries sur les ondes de CJMS...»

Les occasions d'attaquer le Gaulois en justice sont légion. Il suffit de rappeler ses insinuations, ses moqueries, ses assauts, ses accusations et ses provocations lors de la crise amérindienne de 1990 pour voir avec quelle facilité on pouvait traîner l'animateur du *Journal du midi* devant les tribunaux, lui qui devait être protégé par des agents de la Sûreté du Québec aux abords des barricades de Kahnawake!

Que dire de cette poursuite, le 2 juillet 1992, de l'ordre de 150 000 $ de la compagnie d'assurances Standard Life contre Radiomutuel et Gilles Proulx qui avait lâché un obus dont la puissance avait même ébranlé Ottawa? Il s'agissait de cette fameuse affaire des 60 000 000 $ dans les mains des *Mohawks* de Kahnawake. En effet, le 22 mars 1991, Proulx diffuse en ondes une information selon laquelle la Gendarmerie royale du Canada enquête sur un fonds de 60 000 000 $ accumulé par les *Mohawks* et investi dans la compagnie d'assurances Standard Life, provenant de commerces illégaux comme la contrebande de cigarettes et le trafic de drogues! Solide dans ses argumentations, il interroge Sheila Copps, chef de l'opposition provisoire, sur le rapport déjà classé du ministre Pierre Cadieux, alors responsable de la GRC, concernant la provenance de ces 60 000 000 $ et sur la politicaillerie rattachée à ce dossier. La Standard Life, alléguant notamment que les déclarations de Proulx étaient erronées, fausses et trompeuses, concluait finalement une entente à l'amiable avec Radiomutuel.

Comme partout ailleurs, on tente de ménager chèvre et chou, on calme le plaignant dans une amusante prose où l'on se met en frais de présenter «notre excellent animateur du midi» comme quelqu'un qui «peut avoir outrepassé sa pensée», qui «est peut-être un peu fatigué» ou qui «est victime de son style flamboyant»... Mais une chose est claire si on sait lire entre les lignes: une station de radio, puisque c'est le cas ici, ne laissera jamais tomber sa vedette! Donc, on assiste le plus souvent à des arrangements hors-cour, réalisant ainsi pour les parties en litige une économie de quelques milliers de dollars. Gilles Proulx n'a jamais perdu une cause, sauf qu'à la suite d'une charge à fond de train contre Denyse Boucher, féministe militante et auteur notamment de la pièce *Les fées ont soif*, il recevait une plainte formelle du Conseil de presse.

Parfois, le Conseil de presse fait parvenir une semonce à la station blâmant «votre intempestif animateur Proulx qui a refusé malicieusement de donner à la partie adverse le temps de bien expliciter son point de vue».

– Bof! dit Gilles en haussant les épaules, je lis tout ça et ça me fait rire. Plein de gens veulent participer publiquement et activement à des débats et, à la première escarmouche, à la première égratignure, ils sortent de l'arène en braillant comme des bébés! On rencontre de tout dans un auditoire: des niaiseux, des caves, des abrutis, des puritains pognés... Par contre, ce sont ceux qui apprécient qui se manifestent le moins. C'est ça le malheur.

Dans ce métier de crieur public, d'alerteur à tout crin, il est fatal que l'aboyeur aille trop loin à l'occasion.

Mais les bornes du bon goût varient selon chacun. Pour tel auditeur, un petit «maudit» est un outrage aux bonnes mœurs, tandis qu'il faudra à tel autre tout un chapelet de blasphèmes pour être scandalisé.

Exaspérés par les propos d'un matamore qui vocifère, irrités par le ton et le style de cette espèce de malade qui est toujours là après tant d'années, déçus de l'entendre respirer jour après jour et étonnés de le savoir encore en vie, beaucoup d'auditeurs lui reviennent quand même religieusement tous les midis! Certains s'en font une drogue et d'autres aiment le haïr. C'est connu, ce sordide besoin. Il le sait. Et les protestataires sont fidèles. Comme ce «monsieur Poirier», à tous les deux midis, qui espère entendre la rengaine sarcastique de Proulx: «Le poirier, monsieur Poirier, donne quoi? Des poires, monsieur Poirier, des poires!» On peut imaginer ce curieux masochiste chez lui, content de cette infamante distinction, se disant: «J'existe! Proulx m'insulte encore aujourd'hui! J'existe.» Après-demain, il va encore téléphoner: «Je suis monsieur Poirier, dites à Proulx que c'est un nazi, un fasciste!» Il va se rasseoir et il attend patiemment la séance ironique à son égard. De tout pour faire un monde, un auditoire. Gilles se plaindra souvent à son ami Arcand: «J'en ai ma claque, trop de malades me téléphonent, trop de bêtes à cornes me contactent», comme s'il feignait d'ignorer que ses audacieuses envolées et ses orages d'insultes attirent forcément à son antenne des psychopathes en mal de publicité. Pourtant un jour, une belle voix d'Italienne lui confie: «Monsieur Proulx, mon mari et moi rentrons en Italie et le Québécois qui nous manquera le plus, c'est vous!»

Certains midis, on peut assister à une vraie macé-
doine de bruits insolites: rires mécaniques, chants
d'oiseaux, musique berbère, jappements de Kiki, son
chien imaginaire, ricanements bouffons de sa «petite
niaiseuse», trains qui sifflent ou chasse d'eau que l'on
tire! C'est le carnaval de l'ironie, le festival de la sot-
tise, le feu d'artifice des bêtises qui font éclater de rire
l'automobiliste solitaire ou l'employé pris en défaut
d'écouter Proulx. Ajoutez à cela la lecture hebdomadaire des manchettes farfelues des journaux à potins
artistiques et c'est l'apothéose! On en redemande, on
applaudit, on exige un rappel de l'humoriste, du malade, du fou à Gilles Proulx! Enfin, il se réserve des
moments choisis où, commentant un gentil message
d'une auditrice énamourée, il dira:

– Je veux des photos, des photos, des photos...
Envoyez-moi des photos explicites, en déshabillé, en
maillot de bain, en petite tenue, que je puisse juger de
vos charmes...

Le midi, le célibataire s'affiche en voyeur. Le matin,
dans son studio d'enregistrement, si la voix est agréable
et la dame intéressante, il drague sans détour cette
invitée. Le soir, si tout va bien, ils se verront lors d'une
rencontre galante. Entre-temps, quelques belles
viendront défiler dans les couloirs et studios de CJMS,
accompagnant Gilles après son émission pour aller aux
fraises. Elles sont meilleures, plus succulentes et plus
juteuses, semble-t-il, les fraises, en plein après-midi
de semaine...

Fidèle au poste, mois après mois, saison après saison, il tire à bout portant sur les intellectuels à pipe, les tricoteux de paniers, les ronds-de-cuir hideux et autres chiens de garde qui tapissent les escaliers de certains précieux ridicules au pouvoir. Dans ce métier de vitesse, on n'a pas toujours le temps de faire les nuances. Si oui, on corrige le tir et un sujet chasse l'autre. Les pots cassés, les susceptibilités mutilées? Pas le temps de demander pardon! Au sol, l'innocent proteste mais le cogneur est déjà rendu ailleurs. Alors, tous ces grands mortifiés forment bientôt une immense cohorte et les poings se lèvent: «Proulx est un fou furieux que l'on devrait mener à la potence séance tenante!» Et des fois qu'il aurait raison, le tirailleur?

C'est impossible, bien sûr, pour d'honorables citoyens qui se targuent, en société, de ne pas écouter ces spectacles débiles pour auditeurs attardés, de menacer un gérant de restaurant, un mécanicien de garage ou un vendeur d'automobiles de faire appel à Gilles Proulx s'ils n'obtiennent pas entière satisfaction. Ça tient du rêve collectif aussi le jour où il prend la défense en ondes d'un pauvre vieux couple abusé honteusement par une coopérative funéraire de Longueuil et dont le directeur intervient immédiatement pour supplier Gilles de se calmer, réduisant de 800 $ sur place la facture. Tout le monde est aux champs quand la grande gueule à Proulx prend en charge le dossier du jeune Maurice Lahaie, tiré à bout portant dans son dépanneur, demeuré à demi paralysé avec un projectile dans la tête. La Commission de la santé et de la sécurité au travail (CSST) refuse de lui verser des prestations sous prétexte que ce n'était pas un accident de travail. Le justicier communique avec l'organisme, crie à l'injustice et claque la ligne en promettant que ça va chauffer! Deux jours plus tard, dans *Le Journal de Montréal*, la jeune victime, photographiée avec son chèque à la main, ne sait quoi faire pour remercier Proulx. Et le cas du camionneur Richard Forêt de Laval gagnant sa vie depuis toujours, déclarant comme la loi l'exige l'amputation d'un bras à la suite d'un accident à l'âge de 30 ans, qui se voit refuser son permis de conduire 10 ans plus tard parce qu'il n'a qu'un seul bras. Deux jours passent lorsqu'il appelle l'animateur durant son émission pour le remercier publiquement de lui avoir fait récupérer son permis. Et Cérioaco Valenzo du Mexique que la grande gueule va aider à entrer au Québec grâce à l'intervention de la ministre Gagnon-Tremblay. Aujourd'hui, les enfants de Valenzo sont des premiers de classe et en français!

Insensible aux injustices, froide devant le malheur des autres, juste bonne à crier pour démolir, la grande gueule à Gilles Proulx?

Ses quelque 50 heures de travail par semaine ne suffisent pas pour répondre aux appétits insatiables de ses auditeurs qui, au restaurant, dans une boutique, chez le coiffeur, au Forum ou dans la rue, l'interpellent pour lui soumettre un sujet, expliquer un problème, crier à l'aide...

– Parfois, je n'en peux plus, tellement j'ai la tête grosse comme un ballon! On me prend pour le ministre de la Justice. Quand je suis à bout, j'aurais envie de dire à tous ces pauvres gens: «Achetez-vous une carabine et réglez votre problème vous-même!» Il arrive des moments où je suis tellement épuisé d'entendre ces jérémiades que je désespère. Le plus difficile dans ce métier, c'est de toujours travailler avec du négatif, l'insatisfaction générale, des gens qui broient du noir constamment, la déprime perpétuelle, la dépression. C'est dur! À longueur de journée, j'entends des gens me parler de grèves, de constitution, de déficit, de Mohawks, de faux procès, de tricherie, de fraude et de l'impuissance de nos politiciens. C'est pourquoi, souvent, je me hasarde dans la diffusion de documentaires historiques qui vont quelquefois aboutir en librairie, comme mes livres sur l'histoire de la radio ou, plus récemment, celui que j'ai intitulé Ma petite histoire de la Nouvelle-France.

Devant l'énorme pression hebdomadaire, il s'oblige au silence, au repos, à l'évasion. C'est devenu une question de santé. Il a une préférence marquée pour tout ce qui touche à l'eau, lui qui vient du bord du fleuve et qui aujourd'hui voit le Saint-Laurent de son luxueux condo de Saint-Lambert. Pilote d'eau douce, il navigue l'été à bord de son bateau Les beaux dimanches, maraude dans les baies et s'isole dans les anses.

Lorsqu'il veut s'aérer l'esprit complètement, il s'envole vers le Sud sauvage, Maroc, Costa Rica, Panama ou l'Équateur, et s'adonne à son sport préféré: la photographie. À son retour, il est tout heureux de faire circuler ses superbes prises parmi les journalistes de la salle des nouvelles, expliquant aux reporters attentifs, tels les Pierre Cantin, André Dufresne, Pierre Lebeuf, Christian Richard, Yvon Laporte ou Ron Fournier, pour ne citer que ceux-ci, les charmes et les beautés d'une culture indigène, dont celle de Varadero, à Cuba, où Gilles Proulx a eu le privilège de rencontrer Fidel Castro.

10

DE BOB MORANE
AU
CAPITAINE
HADDOCK

– J'veux voir Gilles Proulx!
– Il est encore en ondes, monsieur. Si vous voulez vous asseoir, je vais...
– Écoute, j'veux l'voir, ça presse!

Il est près de midi trente lorsqu'un auditeur corpulent et massif, un gaillard de plus de 150 kilos, se présente à la réception de CJMS. Furieux, il respire comme un taureau qui mugit! Il exige de voir Gilles Proulx sur-le-champ, sinon...

– On m'informe qu'un auditeur déchaîné somme la réceptionniste d'appeler Gilles immédiatement, qu'il a un compte à régler avec lui, se rappelle Raynald Brière. Je rencontre l'opulent bonhomme et l'invite à s'expliquer dans mon bureau. «Je suis écœuré de me faire insulter par cette espèce de malade qui me harcèle tous les jours parce que je défends un mouvement d'assistés sociaux, de BS paresseux comme il aime crier à longueur de semaine avec dédain!» «Écoutez, Gilles c'est Gilles, calmez-vous... Vous le connaissez, il lui arrive de s'emporter, de gueuler un peu plus fort certains jours, de mettre le poing sur la table sans nécessairement la casser...» «Je ne partirai pas avant d'avoir eu des excuses! C'est clair?»

Cette année-là, l'émission se terminait à 13 h 30. Trois minutes avant la fermeture, le responsable de la mise en ondes, Léo Noël, déclenche l'indicatif musical du *Journal du midi*. Au son des trompettes, Gilles conclut avec son dernier auditeur, remercie son équipe et quitte le studio aussitôt.

Paul Arcand l'accompagne jusqu'à la salle des nouvelles et l'informe de la présence dans le bureau de Brière du gars qu'il plante régulièrement en ondes à propos des BS. Gonflé à bloc, il aurait des arguments pesants pour le convaincre de se taire. Arcand suggère à Gilles de filer et de laisser mariner le bonhomme, jusqu'à ce qu'il retrouve ses esprits.

Dans son bureau, Raynald Brière tente toujours d'éteindre le feu et promet au visiteur d'avoir une bonne discussion avec son bouillant animateur qui, admet-il, s'enflamme parfois un peu trop vite.

Mais Brière ne sait pas que Gilles sait... La porte de son bureau explose comme une injure! Proulx s'arrête net: fini le temps où il tremblait dans son carrosse devant le mastodonte de la rue Willibrord. Il soupçonne le gars d'être l'auteur de la lettre anonyme qu'il a reçue quelques jours plus tôt.

– Mon gros crisse de cochon, tout ce que t'es capable de faire dans la vie, c'est d'manger des beignes du matin au soir vautré dans ta graisse de rôti...

Sans perdre une seconde, il saute sur son adversaire, lui écrase la lettre au visage, l'empoigne au collet et lui administre une diarrhée verbale. Mais il n'a pas affaire au gentil porcelet de son enfance, au Ti-Gars du lac Vert! L'effet de surprise passé, l'autre se ressaisit:

– Mon p'tit tabarnak! tu vas en manger toute une...

Estomaqué, les yeux ronds comme des trente sous, Brière aura tout vu! Il n'en revient pas: Proulx est en train de s'en prendre à un auditeur dans son bureau!

L'autre ramasse le petit coq par les épaules, le soulève de terre comme une plume et le pousse dans le mur qui se lézarde sous le choc. Les tableaux se décrochent et tombent au sol. Le tapis est recouvert de plâtre qui s'effrite. Dès qu'il le peut, Gilles prend le taureau par les cornes et lui applique son pied dans le bas-ventre tout en criant: «Allez chercher Ouimet! Allez chercher le gorille! Vite! appelez Ouimet...» Mais comme tout le monde, la secrétaire de Brière, Lucille Laberge, est paralysée sur place!

Alerté par les cris, l'ambassadeur Arcand ne parvient pas à desserrer l'étau, à séparer les boxeurs. Mais le costaud de la station, François Ouimet, ex-policier bâti comme une armoire à glace, s'amène enfin à la rescousse de Gilles qui commence à pâlir! D'un bras, il ramène tout le monde à l'ordre. Depuis que Proulx est à CJMS, Ouimet est comme un pompier: il vient à son secours sur appel! Avant de sortir, l'animateur laisse un souvenir à son auditeur: il lui crache au visage! Arcand et Ouimet entraînent le frondeur dehors et le calme revient peu à peu. Raynald Brière en a assez:

– Je lui laisse le temps de reprendre son souffle, mais il faut qu'il débarrasse au plus vite. La corrida a assez duré! Maintenant que Gilles a quitté la station, c'est au tour du gros d'aller prendre l'air. Allez, ouste, du vent! Il sort de mon bureau et se dirige enfin vers la sortie. Puis, il fige tout d'un coup:

– Tu pensais que j'étais parti, hein! mon gros câlisse?

Debout dans le corridor, Gilles l'affronte à nouveau:

– Viens dans le stationnement, on va régler nos comptes...

Il était revenu! Cette fois, on escorte Gilles jusqu'à l'extérieur, s'assurant que le Micky Rourke de CJMS accroche ses gants au moins jusqu'au lendemain matin!

– Parfois, tard, chez moi, le téléphone sonne et une voix me demande si mon testament est en règle... C'est comme ça. Certains hurluberlus, blessés par mes paroles et mon ironie, veulent me casser le nez. Je peux continuer ou me taire. C'est moi qui ai le dernier mot. Depuis que je fais ce métier, si je m'étais laissé intimider par toutes les menaces que je reçois, il y a longtemps que j'occuperais un autre emploi, moins stressant et moins dangereux pour ma santé.

À force de crier des injures certains midis, de menacer et de pourfendre souvent en termes insultants, il

Traité de «chien»...

GILLES PROULX REÇOIT UNE CAISSE DE Dr BALLARD

mérite quelquefois un épais courrier de la part d'auditeurs qui lui écrivent avec leurs tripes et se sentent soulagés de lui avoir communiqué leurs plus profonds sentiments! Ceux-là, c'est viscéral, il ne peut pas les sentir! Une autre fois, un Séraphin lui enverra une pleine caisse de viande à chien. Le lendemain, il peut recevoir de la crotte de chat en boîte ou de la pourriture en pot! Durant la crise amérindienne, on lui envoie des balles de fusil, dont une, de grand format, accompagnait une simple petite note rédigée en anglais: «*To Gilles Proulx, General Coster of CJMS. Next one gonna be in your head...*» Mais Gilles a vite trouvé le truc pour éviter qu'une bombe lui explose en pleine gueule: il fait ouvrir les colis douteux par ses recherchistes! Réjean Brazeau a vécu l'expérience plus d'une fois...

Menaces de mort et douilles de carabine pour Gilles Proulx

Mais ce n'est pas pour cette raison qu'il a «possédé» plus d'une vingtaine d'esclaves à son service depuis qu'il anime *Le Journal du midi*. D'abord, on ne travaille pas «avec» Gilles, mais «pour» Gilles! Nuance. Absolument insupportable, il prend plaisir à torturer ses recherchistes ainsi que toute l'équipe de production. C'est une contradiction, un non-sens d'être heureux si on travaille pour lui. Son bonheur, c'est le malheur des autres. Il excelle dans l'insulte publique, il brille dans le reproche, il jouit dans la critique. S'il provoque l'angoisse, c'est pour mieux profiter de la panique. À ses yeux, le pire des cochons vaut plus que le meilleur des êtres humains.

— Vous êtes tous une bande d'incapables, s'amuse à répéter Haddock Proulx tous les jours. Des incompétents ignares, des bêtes à cornes que l'on refuserait même à l'abattoir! Je suis entouré de pleutres imbéciles, de veules personnages, de lâches sans avenir. Tous des béotiens qui ne valent pas un demiard de pissat gelé! Je suis un missionnaire de la connaissance, un Himâlaya du savoir au milieu d'une tribu de pygmées en culottes courtes. Un jour, je vais partir, crisser mon camp, m'exiler pour longtemps et trouver, enfin, l'âme sœur qui saura me frotter le dos... Et, me faisant bercer par les chansons de Jean-Pierre Ferland sur les femmes, j'aimerais, une fois épuisées toutes les énergies de l'amour, finir dans les bras d'une unique déesse qui m'aiderait à traverser la frontière du temps vers l'exil éternel.

Que ceux qui veulent le retenir se lèvent! Comble du paradoxe, ses recherchistes en perdent leur latin en voyant parfois des bouquets de fleurs envoyés à son bureau par des demoiselles rencontrées la veille!

La palme de longévité sous la torture revient sans conteste à Pierre «sur 4 roues» Charette, le doyen de ses domestiques. En effet, depuis 10 années et des poussières sur les 31 qu'il est à CJMS, il subit chaque matin les foudres de Zeus. Surnommé pépère Charette, il enregistre chaque jour les entrevues du maître, fait ses montages, trouve les effets sonores et combine le tout pour lui offrir un produit qui, bien sûr, ne sera jamais jugé parfait.

Un matin de 1987, Gilles entre dans son studio, en maudit comme d'habitude. Sauf qu'il distribue les «Va chier» et les «Mange d'la marde» plus généreusement que la veille! Son recherchiste Réjean Brazeau vient lui suggérer un sujet d'entrevue qui est aussitôt rejeté avec délicatesse:

– Si tu penses que tu vas me passer tes câlisses d'affaires à matin, tu peux ben t'écraser, maudit macaque d'imbécile... Ça doit encore venir de l'autre épais à Charette, tabarnak!

Brazeau prend congé de Sa Sainteté et va méditer la bonne parole dans son cachot humide et obscur. Pépère a tout entendu, lui qui n'a rien à voir avec cette engueulade. Il ouvre son micro et lance une vulgarité à Gilles, du genre: «Va donc... paître!» Ordinairement, on devine qu'ils se souhaitent, dans la plus franche camaraderie, une excellente journée... Mais ce matin-là, Proulx ne le prend pas. Il se lève, ramasse ses affaires et s'en va! C'est Paul Arcand qui le rattrape en face de CJMS, le raisonne et le ramène au studio. Pépère ne veut plus travailler avec son bourreau, et vice-versa, on trouve un autre producteur, c'est le défilé dans le bureau des patrons, les menaces de suspension, et ça continue jusqu'en après-midi où la rancune s'estompe enfin.

– Nous avons tous les deux plus de 30 ans de métier, explique Pierre Charette, même si Gilles se plaît à dire que je suis en vacances 54 semaines par année. Certes, ce n'est pas toujours facile de supporter son caractère. Ça prend une bonne carapace. Les fragiles font mieux d'oublier ça. J'ai connu d'excellents moments avec lui et j'en connais encore... parfois. On a monté ensemble une soixantaine de dossiers, incluant nos 200 volets du trois cent cinquantième anniversaire de Montréal qui ont nécessité près de 6 mois d'ouvrage en plus de notre travail quotidien et pour lesquels Jean Doré a félicité Gilles. Quand on fait preuve d'imagination et de créativité avec cet extraordinaire fou, qu'on se donne à fond dans la réalisation d'un projet, qu'on lui démontre la nécessité de s'associer pour produire un document de qualité, on peut apprendre beaucoup avec lui sans que ça devienne une corvée. Si on parvient à établir une bonne complicité et qu'on est capable de supporter la pression, ça roule bien. On oublie souvent qu'il a lui aussi sa part de stress. Et quand tout le monde est sur les nerfs, les situations deviennent plus explosives.

L'univers de la radio et de la télévision exige des réactions rapides dans un état d'alerte permanent. Ce n'est pas la place pour se traîner les pieds ou regarder passer le train. La compétition est si forte qu'il faut être en mesure de dégainer le premier. C'est essentiellement ce que Proulx tente d'apprendre à ceux qui l'entourent. Au moment de le quitter pour un emploi à Radio-Québec, l'une de ses recherchistes eut un bon mot pour lui:

— Gilles, avant de te dire au revoir, je tiens à ce que tu saches que tu es un câlisse de fou... Mais je dois admettre que c'est avec toi que j'ai appris le plus à travailler et à connaître le métier.

Quant au supplicié Brazeau, il avoue son amitié pour Gilles, éveillant chez d'autres recherchistes les soupçons d'un certain masochisme latent...

— Je l'ai connu à CKVL en 1972, précise Réjean Brazeau, alors qu'il animait durant deux heures consécutives une émission strictement d'information, *Québec Soir*, une première dans le domaine de la radio. J'étais son recherchiste et je peux affirmer qu'il est resté le même. Même discipline, même rigueur, même caractère de cochon. Il est aussi intolérant et impatient qu'il y a 20 ans! Mais on a des intérêts communs, dont la photographie et le goût du reportage, le besoin d'exclusivité, d'inédit, de sensationnel. On sera comblés car après CKVL, on se retrouve tous les deux dans les rues de Verdun à la recherche de sujets et d'entrevues pour différents journaux et magazines. On s'engueule et ça va bien. Parce qu'avec Gilles, tant que tu ne fais pas partie de son équipe, il te traite avec indifférence. Le jour où tu prends de l'importance, où tu te sens enfin accepté, où tu sais que tu fais partie de son écurie, il a moins de considération pour toi que pour un tas de fumier! À travailler avec lui ou pour lui, tu deviens blindé, il n'y a plus jamais d'obstacles insurmontables dans ta vie parce que, si tu es sérieux, tu vas pouvoir passer au travers de n'importe quoi sans difficulté. Si, en plus, tu le connais assez bien pour savoir gagner sa confiance, tu vas grandir à ses côtés, c'est officiel. Mais ça prend tout un char d'assaut pour passer le test! Il m'a baptisé le Mexicain parce que j'aime profiter de la vie, voir le soleil traverser ma fenêtre le matin, prendre le temps de respirer quelque part. Pour lui, j'étais un paresseux avec un sombrero sur le nez: «Envoye, tabarnak, travaille, maudit fainéant, on te paye pas pour regarder les moineaux par la fenêtre...»

Un jour, Réjean Brazeau fait son choix: le temps est venu de partir.

– C'était ma décision, je ne la regrette pas. Et j'aime Gilles tout autant...

Aussi tiraillé que Gilles puisse l'être, il est incapable de congédier qui que ce soit car il a toujours cru qu'agir ainsi serait comme enlever une partie de vie à un être humain.

Las de fouetter ses valets, le maître décide parfois de s'accorder quelque repos! C'est ainsi qu'il s'attable un jour dans une brasserie populaire. Pour écœurer le serveur, il commande un thé et observe ceux qui s'amusent à tituber dans les vignes du Seigneur. Un gars soûl aux épaules carrées s'approche de lui:

– T'es rien qu'un écœurant, Proulx... J't'haïs pis j'ai ben envie de t'crisser une volée drette icite, mon ostie!

– Laisse-moi tranquille, va ailleurs...

– T'as la chienne, pas vrai? T'as peur que j't'assomme?

Gilles lève la tête, fixe l'enragé dans les yeux et lui lance sa tasse de thé bouillant au visage. Le gars n'a pas le temps de se demander ce qui lui arrive que Gilles est déjà debout, prêt à bondir. Heureusement que le videur de la place était de son bord parce qu'il risquait de boire son thé pendant six mois avec une paille!

En 1988, quelques jours avant Noël, le monstre se rend au bar du *Thursday's*. Contrairement à son habitude, il a l'âme à la fête. Des clients l'ont même vu sourire! «Bof! c'est Noël, se dit-il, on peut en profiter sans abuser.» Il commande un thé. Un double. Il fouille dans ses poches: pas de problème, il a le numéro de Nez-Rouge. Assis près de lui, un anglophone le reconnaît. Entre amateurs de thé... Mais voilà qu'il s'en prend à Gilles et le traite de tous les noms, ce maudit *frog* qui veut imposer sa langue française. Gilles ne sait trop que faire. À sa grande surprise, un client au physique d'athlète, André Éthier, se lève et empoigne le collet de la tête carrée pour lui régler son cas en deux temps, trois mouvements!

À cause de son image et de sa réputation, Gilles Proulx connaît donc diverses expériences lorsqu'il se retrouve en public. Un soir, assis au restaurant *Cora* de Brossard, il voit un gars bien bâti se diriger vers lui. Il le reconnaît: c'est Dave Hilton, de la célèbre famille de boxeurs. Il admire les Hilton, bien qu'il ne les connaisse pas beaucoup. Dave Hilton s'approche et lui lance:

– Toué, Gilles, t'es comme un boxeur... mais avec ta gueule! *You understand what I mean?* Dans le fond, t'es aussi fort que moué...

Il n'en fallait pas plus pour que Proulx devienne un ardent défenseur des Hilton, peu importe leurs gaffes. Ainsi, le jour où deux d'entre eux se font coincer pour vol dans la réserve d'Akwesasne, seul l'avocat Proulx prend leur défense et met la justice au défi de les juger correctement. Il va jusqu'à dire que Dave et Matthiew n'ont volé que des bandits voleurs. Qu'ils étaient plus braves que la police à Ryan en entrant dans cette république autarcique de contrebandiers et que le juge n'avait pas le droit de les punir puisque l'incident s'était déroulé sur un territoire où la pseudo-justice blanche a peur de se manifester! À son émission, il félicite les Hilton, leur souhaitant qu'enfin ils puissent revenir dans le droit chemin et... dans l'arène. Quand Gilles se prend d'admiration pour un sportif, c'est à la vie, à la mort. C'est le cas pour un autre boxeur, Mario Cusson, ou, plus fréquemment, pour des vedettes de hockey, tels Denis Savard et Mario Tremblay, ou pour Stéphane Lebeau qui, à la surprise de Proulx, lui a déjà demandé... un autographe!

Gilles aime jongler avec le danger. C'est dans sa nature, incrusté en lui. Il fait toujours ce qu'il veut, peu importe les conséquences. Que sa vie ou encore celle des autres s'en trouve menacée ou pas, il a le don de foutre la merde quand et où ça lui chante, et il ne se préoccupe absolument pas des résultats...

En vacances à la Barbade avec Réjean Brazeau, Gilles décide d'entrer dans un bar de Bridgetown, la capitale. Seuls Blancs du lieu, ils s'installent à une table pour écouter la musique et, qui sait... La serveuse apporte les consommations et leur fait savoir que ce n'est peut-être pas tout à fait leur place. Gilles s'en balance: il fait de l'œil à une fille qui ferme les yeux quand on la couche. C'est l'ancienne petite amie du batteur de l'orchestre. Il apprend que le musicien est jaloux et agressif, qu'il est fort capable de se servir de ses baguettes pour taper sur autre chose qu'un tambour!

– Gilles manœuvre si bien, témoigne Brazeau, qu'il entraîne la fille jusqu'à la plage. Quant à moi, je déguerpis dans un taxi. Je n'avais pas du tout envie d'être mêlé à ses histoires de femmes...

Pour Gilles, aller aux fraises ou aux coquillages, c'est du pareil au même. Au moment où il va cueillir la perle, il entend des voix qui se rapprochent: une bonne demi-douzaine d'énormes Noirs se dirigent vers eux, le musicien en tête. À les entendre, ils ne viennent pas lui jouer la sérénade. Le couple se cache sous le quai de bois et attend. L'équipe de football arrive sur le quai et cherche les amoureux sur la plage.

Les pieds dans l'eau jusqu'au mollet, tenant sa sirène contre lui, Gilles lève la tête et, entre les lattes, les aperçoit juste au-dessus d'eux! Ils retiennent leur souffle. Par chance, le parfum de la belle n'était pas poivré... Gilles garde un excellent souvenir de la Barbade, l'une des îles les mieux organisées, où règnent propreté et hygiène.

Les aventures du capitaine Proulx ne s'arrêtent pas là! L'une des plus cocasses s'est déroulée en Jamaïque en compagnie du séducteur Yves Dubuc...

Les deux touristes se louent une motocyclette pour faire le tour de l'île à leur guise. En après-midi, visitant un bateau de guerre proche de leur hôtel, le M.W. *Pratt* ancré dans le port de Ochorios, ils reçoivent chacun une casquette de marin en cadeau du capitaine. Ils repartent sur leur engin et s'enfoncent dans les terres, à la recherche d'un bled interdit aux touristes dont ils ont entendu parler. Leur ambition se limite à prendre quelques clichés des filles, sans plus... Souriez, mesdames, le petit oiseau va sortir! Ils finissent par trouver le nid de poules mais se butent à des coqs de combat qui auraient assassiné une semaine auparavant un Américain en quête de paradis. Ils font demi-tour. Inutile d'essayer: machettes en main, quelques joyeux rastas bloquent la route. Il faut penser vite. Gilles a une idée. Il risque le tout pour le tout, ils n'ont rien à perdre. Coiffé de sa casquette de marin de l'armée américaine, il monte un bateau au chef de la bande. Il raconte qu'il a besoin de 25 filles pour une orgie le soir même sur le navire. En plus de payer comptant pour les filles, il promet au gars un pourboire de cinq dollars par tête. Intéressé, le Jamaïquain ne laisse pas filer une telle occasion de s'enrichir. Ravi, il insiste pour leur montrer la marchandise et rend bientôt la liberté aux deux moineaux qui foncent vers leur hôtel à la vitesse de l'éclair.

– Assis au bord de la piscine, on se la coule douce lorsqu'on voit une vingtaine de filles avec des robes à brillants, la poitrine généreuse, sortir du bois comme dans un conte de fées, à la file indienne conduite par notre souteneur qui menait son poulailler au bateau! On pensait rêver. On a attendu la suite, mais rien. À notre grand étonnement, les filles sont restées sur le bateau... Faut croire que les marins savent prendre soin de la visite!

Gilles n'aime pas voyager seul. Aussi, peu avant de partir en vacances, il fait du recrutement auprès de nouvelles victimes potentielles qui ignorent tout de son comportement dans un pays lointain, surtout si le soleil lui tape sur la tête! D'autres, par contre, croient à tort qu'il a changé en vieillissant, qu'il s'est un peu ramolli, et acceptent volontiers de lui confier leur vie! Raynald Brière est de ceux-là...

Le 11 mai 1993, dans un village de la tribu des Kunas au Panama, Brière présente à Proulx son nouveau contrat d'une durée de quatre ans pour l'animation du *Journal du midi*. Après discussion, les deux hommes concluent une entente et apposent leur signature respective au bas du contrat. Mais il faut un

témoin. Autour, il n'y a que des Kunas. Pourquoi pas?
Sous celles de Proulx et Brière, apparaît bientôt une
troisième signature: celle de la nièce du chef de la
tribu des Kunas!

– Comme Gilles maîtrise assez bien la langue
espagnole, il échange quelques phrases avec le chef,
qui nous invite à visiter une île voisine où il doit
régler quelques affaires. On y voyait une belle occasion de prendre quelques photographies inédites. On
s'installe avec lui dans une pirogue et on part en mer
vers l'île en question. Sur place, le chef nous signale
qu'il doit s'absenter une trentaine de minutes, libre à
nous de visiter et on se rejoint sur le quai. On part
donc à la découverte de cette île minuscule peuplée
d'environ 1 000 habitants et on revient au point de
départ à l'heure dite. C'est la fin de l'après-midi et
jusque-là, tout va bien. Mais le chef, c'est le chef!
Tout comme Gilles, c'est Gilles! Et il se fait attendre,
le chef. Oh! qu'il n'est pas pressé, le chef! Oh! que le
capitaine Haddock commence à être contrarié! Plus
le temps passe et plus Haddock s'impatiente. Trois
heures plus tard, large sourire, Sa Majesté arrive
enfin, complètement ivre. C'est la tornade: Gilles se
met à l'engueuler en français, en anglais, en espagnol,
lui dit que ça n'a pas de bon sens de nous faire niaiser
de la sorte, bref il lui paye la traite. Si bien qu'un
attroupement se forme. Et plus il crie, plus les Indiens
nous encerclent. Je dis à Gilles d'arrêter, qu'il est
temps de s'en aller avant que ça tourne mal. Il
n'entend rien et je crois un moment qu'il va en venir
aux coups. Comme la tribu manifeste beaucoup de

respect à l'égard du chef, j'en arrive à penser que les habitants de l'île vont nous jeter aux requins sans autre forme de procès! Enfin, je réussis à le convaincre, on remonte dans la pirogue et on s'en va. Les deux hommes se boudent! Mais le chef, pendant que Gilles hurlait son poison, nous mijotait une petite surprise à la Marcel Béliveau. Je trouvais que ça ne pagayait pas fort et que ça prenait un temps fou pour revenir. Et comment! Pour nous punir, le chef a attendu qu'un orage éclate au-dessus de nos têtes, connaissant mieux que nous sa saison des pluies. Effectivement, ça se met à tomber comme on n'avait jamais vu ça, le tonnerre, les éclairs et nous dans notre petite pirogue, c'était effrayant! Ce n'était plus *Tintin et les Picaros* mais *Gilles chez les Kunas*!

Gilles Proulx a aussi subi une autre forme de menaces, plus subtiles, déguisées et transmises par personnes interposées: le chantage.

Alors qu'il prend une fois de plus position, en 1988, en faveur d'un plus grand usage de la langue française et condamne au *Journal du midi* celles qu'il nomme «les maudites grosses torches anglaises de chez Eaton», vendeuses unilingues des départements de corsets et de sacoches, un employé du magasin lui fait parvenir la liste des noms de celles qui ne parlent pas un seul mot de français. Gilles promet de la lire le vendredi après-midi à son émission.

– Le *Journal de Montréal* s'intéresse à l'histoire, et nous nous entendons pour dénoncer conjointement cette abomination, cette situation absolument inacceptable, une insulte et un affront de plus lancés au visage des Québécois francophones!

Le ministre Pierre McDonald avait d'ailleurs lui-même déploré cet état de fait...

Comme promis, Gilles énumère en ondes les noms des vendeuses et ne se gêne pas pour discréditer le magasin Eaton du centre-ville de Montréal qui, non seulement tolère, mais encourage une telle situation en ne faisant rien pour la corriger. Quant au *Journal de Montréal*, il bat en retraite, craignant de perdre des contrats publicitaires. Ça hurle fort dans les ascenseurs chez Eaton, où les dirigeants multiplient les réunions et les appels à leur agence de publicité de Toronto. Les choses se tassent, le vent se calme, mais à l'approche du temps des fêtes, le vice-président de Radiomutuel, Paul-Émile Beaulne, se rend compte que CJMS ne reçoit plus aucune publicité de chez Eaton. De passage à Toronto, il se présente à l'agence et demande des explications. On le somme carrément de mettre Gilles Proulx à la porte s'il veut retrouver ses contrats de publicité. Beaulne se tient debout et refuse. L'immense auditoire que rapporte son animateur vedette à CJMS vaut mieux qu'une susceptibilité froissée relevant d'une réalité aussi importante que la reconnaissance des droits linguistiques de la majorité.

– Un jour que je suis dans un marché Provigo de Saint-Jean-de-Matha avec mon frère Jacques et qu'on attend pour payer, j'aperçois un drapeau du Canada qui côtoie celui du Québec à l'entrée du magasin. Jacques demande à la caissière ce que ça signifie et elle répond que c'est un ordre de la direction. De retour derrière le micro, je commence à donner une volée à Bertin Nadeau, le président-directeur général de Provigo. Ma sortie en ondes avait provoqué beaucoup de remous et nous avons enfin obtenu satisfaction.

Des années auparavant, il avait toutefois failli se retrouver sans emploi quand, dans un excès de liberté, il avait apostrophé le président de la compagnie de location d'automobiles Tilden qui menait campagne contre la loi 101 en lui disant: «*If you can't stand the heat, get out of the kitchen, mister Tilden...*»

Pourtant, on retrouve des exceptions parmi les gens d'affaires qui se sont déjà fait écorcher par Proulx. Pierre Péladeau est de ceux-là. L'animateur s'est toujours exprimé avec franchise face à l'empire Quebecor, un géant de notre économie. Pourquoi se retrouve-t-il sur la liste des «bons gars» de Péladeau? Pourquoi l'invite-t-il à animer des soirées à son centre d'art des Laurentides quand ce n'est pas à sa maison privée?

– Parce que c'est un maquereau comme moué, clisse, et surtout à cause de sa gueule de bagarreur. J'aime les batailles, tu me comprends?

Dans le ring de la vie, le boxeur se bat aussi pour appuyer certaines causes qui lui tiennent à cœur, défendre un principe ou collaborer à un projet humanitaire. Ceux qui l'ignorent vont parfois l'apprendre sèchement, comme cet auditeur qui affirmait un midi:

– Monsieur Proulx, vous gueulez, vous déblatérez, mais vous-même, vous ne faites jamais rien pour régler les problèmes ou pour appuyer une cause, sauf la défense du français...

Le cyclone!

– Mon petit maudit bandit! tu vas le fermer ton clapet? Je m'occupe de la Fondation de l'hôpital de Verdun, du mouvement des Grands Frères et Grandes Sœurs, du cancer, de la leucémie, du diabète et de la Croix-Rouge surtout. Gaston L'Heureux et moi sommes les champions donneurs de sang de toute la colonie artistique. Je suis à la veille d'atteindre le chiffre magique des 100 dons à la Croix-Rouge. Tu m'as jugé sans savoir, espèce de petit ignare!

En 1986, il fait partie des Grands Frères et se dévoue pour un jeune de 11 ans de Longueuil, Samuel Roy.

– Gilles m'emmenait au hockey, au baseball, au Grand Prix automobile. À ce moment-là, j'étais trop jeune pour savoir qui il était, quelle influence il pouvait avoir en tant qu'animateur de radio. Mais je me rappelle qu'il insistait beaucoup sur le fait de protéger notre identité. Ce fut une expérience enrichissante, des contacts nécessaires qui nous préparent à bien entrer dans la vie d'adulte.

– J'ai toujours cru en ça, dit Gilles pour sa part. C'est très grand le besoin de certains jeunes garçons qui ne peuvent s'appuyer sur un père, ce besoin d'être guidé, conseillé, d'échapper un peu à un monde exclusivement féminin. Il s'agit tout simplement de collaborer à la formation d'un jeune qui n'a pas de père, de diriger doucement ses goûts, d'orienter ses valeurs. Des gens se demandent comment j'ai pu m'occuper d'un petit gars alors que j'avais, des années auparavant, négligé mon propre fils. Je ne cherche pas d'excuses. Tout ce que je peux dire, c'est que j'en arrachais, j'en bavais tous les jours avec une carrière fragile et je n'avais pas la même disponibilité, la même stabilité que je devais connaître plus tard.

Oui, malgré tout, il a des valeurs. Même s'il jure à la moindre occasion, vous ne l'entendrez jamais critiquer les Évangiles ou les fondements de sa religion. Bien qu'il soit très respectueux à l'égard de l'Église, car sans elle, dit-il, nous n'existerions pas, il lui reproche son étroitesse d'esprit alors qu'à une certaine époque elle a repoussé les pratiquants d'autres religions, grecque, juive et autres, qui auraient voulu fréquenter l'école française.

L'écrivain français Ernest Renan a bien traduit la chose:

«Le blasphème des grands esprits est plus agréable à Dieu que la prière intéressée de l'homme vulgaire.»

Vulgaire! On peut traiter Gilles Proulx de tous les noms et le traîner dans la boue. Mais lui dire qu'il est vulgaire, ça jamais! Une injure à éviter.

Joël Le Bigot et Marc Laurendeau de Radio-Canada l'ont fait un jour...

La réplique fut cinglante!

11

LE FRANC-TIREUR

Le centre Paul-Sauvé déborde de manifestants. Ceux qui sont dehors tentent de se frayer un chemin jusqu'à la porte d'entrée pour entendre au moins un des conférenciers qui prendront la parole en faveur de la loi 101. À l'intérieur, c'est la folie. Debout dans les allées, on agite des centaines de drapeaux du Québec au son de chants patriotiques. Ça fait longtemps qu'on a vu une telle atmosphère de fête. On est en décembre 1988 et on pourrait croire que c'est Noël tous les jours. Ce rassemblement, on le prépare depuis belle lurette. Si bien en fait que les organisateurs ont réussi le tour de force de rallier 25 000 personnes prêtes à défendre la loi 101.

Les conférenciers prennent place sur l'estrade. Peu à peu, le silence s'impose de lui-même dans les gradins. Ça va commencer. Après les présentations d'usage, voilà que défilent au micro les défenseurs publics de la langue française au Québec, ceux qui hurlent tout haut ce que la majorité pense tout bas. La foule applaudit à chacune des interventions et appuie les idées de ses héros. Le prochain conférencier est connu et attendu des manifestants. On dit de lui qu'il n'a pas la langue dans sa poche... C'est Gilles Proulx!

– Je ne savais pas trop comment attaquer mon discours. Je n'avais rien préparé de particulier. J'attendais la tournure des événements, j'écoutais les allocutions des conférenciers qui me précédaient et je me disais que j'allais bien trouver quelque chose de percutant. Puis, juste avant d'aller au micro, je me suis souvenu des propos dégueulasses du commissaire aux langues officielles, D'Iberville Fortier. «Voilà, me suis-je dit. C'est de ça que je vais leur parler.» Je me lève sous les applaudissements de la foule et me dirige tranquillement au micro tout en revisant mentalement les déclarations de Fortier. Et je commence: «Il n'y a pas plus arrogant et méprisant à l'endroit du Québec que notre cher, et qui nous coûte très cher, commissaire aux langues officielles, D'Iberville Fortier. Depuis qu'il a été nommé à ce poste, il ne publie que des rapports défavorables pour le Québec en matière linguistique, comme si nous étions des nazis, des fascistes qui portions atteinte aux libertés des Anglo-Québécois...» Je fais une pause de quelques secondes puis, du fond du cœur, je lance: «Mange d'la marde, D'Iberville Fortier!» Le toit du centre Paul-Sauvé a failli s'écrouler. Les gens sont debout, ça crie, ça hurle, ça scande des insultes à D'Iberville Fortier. Plus moyen de les arrêter, c'est le bordel et je dois couper court dans mon improvisation. Tous les médias ne retiennent que mon passage sur l'estrade et je me retrouve propulsé en tête des nouvelles à la radio et à la télévision, tout en faisant les manchettes des journaux le lendemain matin. Je n'aurais jamais cru faire autant de vagues en disant carrément et simplement ce que je pensais, en exprimant avec franchise et spontanéité le fond de ma pensée!

Certes, les médias rapportent le fait, approuvent ou condamnent, mais sans toutefois insister sur le genre d'animateur qu'est Gilles Proulx, sans trop pousser sur les qualificatifs, se bornant à mentionner qu'il est voyou, frondeur, et qu'il jouit d'une grande popularité auprès des manifestants et au sein de tous les groupes qui se portent à la défense de la langue française.

L'animateur de l'émission du matin *CBF-Bonjour* à la radio de Radio-Canada, Joël Le Bigot, fait exception et accuse Gilles Proulx de vulgarité, déclarant qu'il est l'image fidèle du genre d'émission qu'il anime!

– J'ai avalé ma pilule, puis j'ai répliqué que je n'avais utilisé que le langage des émissions télévisées populaires tel qu'on pouvait l'entendre dans *Lance et Compte*, par exemple. J'ai déclaré qu'on n'avait pas à s'offusquer et que D'Iberville Fortier n'avait eu que ce qu'il méritait.

Quelques années plus tard, Paul Arcand dévoile en primeur à CJMS une nouvelle qui a l'effet d'une traînée de poudre: Joël Le Bigot s'est fait prendre à voler des bouteilles de vin dans une succursale de la Société des Alcools du Québec. Face à la justice, il est trouvé coupable.

Gilles Proulx entre en ondes avec Paul Arcand pour livrer son commentaire du matin et déclare:

– Que ceux qui n'ont jamais commis de péchés se lèvent et lui lancent la première pierre!

Selon lui, après avoir bâti une carrière laborieuse, de tels gestes demeurent parfois inexplicables. Il se dit heureux que la gaffe de l'animateur n'ait pas entraîné l'abandon prématuré de sa profession.

– Je n'ai jamais eu de réaction de sympathie de Le Bigot. Mais quelle ne fut pas ma surprise de lire en 1991, dans un article du journal *Le Devoir* signé par un jeune inconnu sans doute en quête d'emploi à Radio-Canada, que la radio d'État était la meilleure au pays et que les stations privées étaient vulgaires! L'auteur ne mentionnait pas toutefois que la radio de Radio-Canada coûtait aux contribuables quelque 68 000 000 $ par année et la télévision 1 300 000 000 $. L'article affirmait que CJMS arrivait en tête de toutes ces radios vulgaires et que l'animateur le plus vulgaire d'entre tous restait sans contredit Gilles Proulx, au dire de Joël Le Bigot et de Marc Laurendeau, ce pseudo-comique qui mastique ses blagues au moins quatre mois avant de les divulguer!

Un animateur, Paul Houde, fidèle auditeur du *Journal du midi*, contacte Gilles pour lui dire de ne pas laisser passer ça, que ça mérite une réplique de sa part. Effectivement, le jour même de la parution de l'article insultant, Proulx s'élance:

– T'en rappelles-tu, mon cher Joël, quand tu avais volé ta bouteille de vin à la SAQ? Le seul qui t'avait défendu à Montréal, c'est encore celui-là que tu as traité de vulgaire au lendemain du ralliement au centre Paul-Sauvé.

À son grand étonnement, Gilles reçoit des félicitations de journalistes et autres animateurs, de CKAC, de CKVL et même de Radio-Canada, pour avoir rabroué Le Bigot, considéré, disait-on à Proulx, comme un être méprisant, prétentieux, et objet de nombreuses critiques dans les couloirs de Radio-Canada.

Étant donné sa franchise coutumière, il ne faut pas s'étonner que Gilles Proulx compte plus d'un ennemi parmi les autres animateurs, les vedettes de la colonie artistique, les politiciens ou les gens d'affaires qui ont reçu des coups de bâton au passage. Ses critiques s'inspirent le plus souvent de sa simple observation des comportements de camarades de travail ou de rivaux radiophoniques. Mais lorsque certains dépassent les bornes et vomissent gratuitement sur la vie privée de ceux et celles qui font l'événement, alors là l'aboyeur de Radiomutuel devient carrément impitoyable envers ces charognards incapables du moindre respect, de la plus petite sympathie pour qui que ce soit:

– Quand je lis des articles pseudo-analytiques qui mettent dans le même bain les grandes gueules de la radio ou de la télévision, tels Pascau, Cournoyer, Proulx ou Mongrain, ça me dégoûte d'y voir le nom du minable à André Arthur, cette espèce de cobra rampant en voie de disparition, je l'espère, qui n'a jamais été capable de se tenir debout, ne serait-ce qu'une seule fois, pour me faire face. Je suis prêt à accepter qu'on m'associe, avec des distinctions, aux autres, mais jamais à ce salisseur de réputations qui devrait être rayé des ondes. Il n'a aucune influence et il est de plus en plus vrai d'affirmer, comme une foule d'auditeurs, que dans son cas on parle plus d'une crotte que d'une cote d'écoute! Je me demande comment les gens de Québec, pourtant intelligents et réveillés, font pour supporter une telle odeur dans leur entourage! Comment peut-on admettre et accepter, dans une société dite civilisée, qu'un dégénéré d'une station de Québec annonce la mort prochaine d'un Robert Bourassa ou veuille organiser une expédition de pisse sur la tombe d'un Gérard D. Lévesque? Quelle écœuranterie d'entendre applaudir sa poignée d'auditeurs, ses complices qui l'ont surnommé «le roi Arthur»! Pour moi, c'est même pas un *joker*, il n'est même pas assez brillant pour faire un emballage de jeu de cartes!

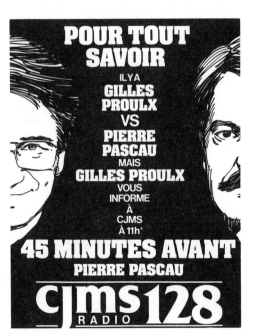

Contrairement à ce que plusieurs pourraient croire, Proulx n'est pas infernal envers celui qu'il appelle, pour le taquiner: «la Diva», l'animateur Pierre Pascau. Il reconnaît même admirer chez son ancien rival du midi à CKAC son respect de la langue française ainsi que la pertinence de ses critiques touchant ce que les autres craignent souvent de condamner. Et il s'ennuie certains

«J'AI ENFIN RÉUSSI À DEVENIR LE NUMÉRO 1 DE LA RADIO»
GILLES PROULX

midis de ne plus avoir de défis à relever contre un Pascau qui lui mettait de la pression et l'obligeait toujours à se surpasser, rivalisant d'exclusivités jusqu'aux sondages, jusqu'à la ligne d'arrivée. Proulx a battu Pascau, pour la première fois en 6 années intensives d'affrontements, aux sondages du printemps de 1990, avec une majorité de 1 500 auditeurs dans la catégorie des 24-54 ans. Peu de temps après, Pascau brisait son contrat avec CKAC pour aller animer une émission du matin à CKVL.

ANDRÉ ARTHUR OU GILLES PROULX REMPLACERAIT PIERRE PASCAU?

De Jean Cournoyer, Gilles dira que c'est un homme pour lequel il a toujours eu une grande admiration et un respect qui ne se sont jamais érodés avec le temps. Il salue en lui son expérience de vie, l'assurance naturelle dont il sait faire preuve à chacune de ses présences en ondes.

Interrogé par une journaliste de Sherbrooke cherchant à connaître son opinion sur le phénomène Mongrain, Gilles déclare que l'animateur a su développer une forme de communication très ironique et plutôt

innovatrice avec la façon exceptionnelle qu'il a de soulever des interrogations par la force de son regard et
de ses mimiques. Mais la journaliste, qui n'appréciait
manifestement pas Mongrain, n'a jamais publié les
propos de Proulx.

– Lorsque je l'ai rencontré en 1990 dans les couloirs de CJMS, j'ai découvert un gars qui n'était pas si
populo que ça, m'apparaissant comme un ambassadeur distant, sans camaraderie. Il demeure toutefois
à mes yeux un grand communicateur, même s'il m'est
arrivé, sans aucune méchanceté de ma part, de
ridiculiser les nombreux trophées qui garnissent la
bibliothèque de son sous-sol et de dire qu'il réussissait
très bien en faisant souvent un genre d'information-
spectacle. Dans un autre ordre d'idées, je me demande pourquoi un journaliste du calibre de Pierre
Nadeau n'a jamais réussi à être reconnu à sa juste
valeur par ses pairs.

C'est une règle, le franc-tireur ne baisse pas non
plus pavillon devant les politiciens, d'ici ou d'ailleurs,
les syndicalistes ou les hauts fonctionnaires de l'État.

– En 1988, le solliciteur général Gérard Latulippe,
grand responsable de toutes les polices avant le ministre de l'Insécurité publique, le ministre de Tout et
de Rien Claude Ryan, tente de se payer ma gueule
après que je lui aie fourni toutes les statistiques ima-
ginables sur la police. Stupéfait, il me lance sur un ton
moqueur que c'est gentil de ma part de lui accorder une
entrevue qui l'instruit si bien! Je lui réponds du tac au

tac qu'il n'y a pas de problème et que sur un simple appel téléphonique je suis disposé à lui fournir tout renseignement dont il pourrait avoir besoin.

S'il n'y a que Daniel Johnson, le père de l'actuel premier ministre, qui a réussi à le mettre en boîte lors d'une entrevue, Proulx a eu des chaleurs lors d'un entretien avec l'ex-ministre des Affaires étrangères de France, Michel Jobert. Celui-ci reproche à Gilles de raisonner comme une casserole en défendant la position de Washington lors de l'invasion aérienne américaine de la Libye de Kadhafi. Après quatre minutes de torture, Proulx demande à Jobert s'il se souvient de l'offre du général de Gaulle d'envoyer en 1968 au Liban l'armée française répliquer à celle d'Israël qui venait d'y faire une incursion? Jobert ne s'en souvenait pas! Gilles prend sa revanche:

– Alors c'est ça, vous raisonnez comme un bidon vide, monsieur Jobert!

Il arrive fréquemment que des animateurs français de passage à Montréal enregistrent *Le Journal du midi* pour en faire écouter de larges extraits de retour dans leur pays.

Croyant toujours avoir le dernier mot, le spécialiste et fidèle admirateur de Napoléon Bonaparte, avec son ami Ben Weider, rencontre parfois lui aussi son Waterloo. L'histoire retiendra peut-être qu'ils ont au moins la date du 18 juin en commun: Napoléon connaît la défaite aux mains des Anglais et des Prussiens le 18 juin 1815 et Proulx s'installe au micro de CJMS le 18 juin 1984, jour anniversaire de l'appel du général de Gaulle.

Faute de Prussien, Gilles devra se contenter d'un Chrétien!

Invité au *Journal du midi*, Jean Chrétien confirme sa candidature à la succession de John Turner. La discussion s'engage et l'animateur transforme son émission en véritable bagarre de rue:

– T'es rien qu'un p'tit baveux grassement payé, lui lance Chrétien.

– Pis toué, un avocat de Bay Street, Ontério, qui se croit encore un p'tit gars de Shawinigan, lui réplique Proulx.

Il aura fallu deux ans de négociations et le doigté de Daniel-Yves Durand du Parti libéral pour convaincre Jean Chrétien de revenir au micro de Proulx. Le politicien accepte enfin, jurant d'avoir cette fois le dernier mot sur le ti-cul de CJMS. Gilles lui demande durant l'entrevue:

– Monsieur Chrétien, quelle a été selon vous la pire erreur que vous ayez commise?

– Sans doute d'être venu à ton émission!

La réponse était bonne et les deux hommes en ont ri volontiers.

Parmi toutes ses élucubrations et audaces, Gilles répond un jour à un auditeur de Hull qui se plaignait que son émission était trop montréalaise, trop locale:

– Écoute-moi bien, le colonisé de l'Outaouais, t'as qu'à téléphoner à Jacques Papin de CJRC et lui demander de me débrancher. Quand je pense qu'en Floride on se bat pour écouter mon émission, voilà que dans la vallée des colonisés, on veut que je leur parle de leurs poubelles!

Gilles fait un boucan du tonnerre quand le directeur de la programmation de la station affiliée CJRP de Québec, Damien Rousseau, décide à l'hiver 1993 que son émission n'est plus réseau et sera remplacée sous peu par une chronique astrologique. Rousseau n'a pas choisi la journée mais, le matin même où les journaux publient la nouvelle, Gilles est à Québec pour enregistrer son émission des studios de CJRP! À l'aube, il rejoint au restaurant de l'hôtel son dévoué recherchiste, qui a déjà mémorisé durant la nuit, outre le Coran et les Saints Évangiles, tous les articles des quotidiens de la ville, prêt à les réciter pour le choix des sujets du jour. Après un cordial: «Bonjour», et un aimable: «Envoye, c'est quoi ta marde à matin?» Gilles apprend par les journaux que son émission est retirée de l'horaire à Québec. Son jus d'orange tourne au yogourt. Il se réfugie dans un mutisme total, ce qui laisse présager le pire. La journée sera terrible. Épouvantable. Il décide de faire son propre sondage en ondes: «Voulez-vous encore de mon émission à Québec, oui ou non?» Sauf une exception, tous les auditeurs de CJRP en redemandent. Gilles fait renverser la décision. Il acceptera mal qu'on ne l'ait pas prévenu, surtout que la veille, la direction de CJRP l'avait invité à un grand repas dans un beau restaurant de Québec, le *Café de la Paix*, où s'était même présenté le célèbre Wayne Gretsky.

Gilles Proulx n'aime pas les entourloupettes!

Quelques jours après le tournage d'un épisode de la série télévisée *Scoop* portant sur la crise amérindienne, d'après le scénario de Réjean Tremblay et Fabienne Larouche, il apprend que les scènes qui évoquent la résistance d'un animateur populaire au chantage des *Warriors*, en l'occurrence lui, ont été tournées dans les studios de CKVL et que son rôle est joué par nul autre que le cosignataire du présent ouvrage, Claude Jasmin!

– Je ne comprenais pas pourquoi le babouin à Tremblay avait choisi les studios de CKVL pour tourner cet épisode puisque l'action s'était toujours déroulée à CJMS. Dans tout le Québec, j'étais le seul animateur à crier ma rage contre les *Warriors*, y risquant ma peau. Tout le monde le sait, tout le monde le reconnaît. Je voulais seulement des explications, rien de plus. J'ai compris tout seul: Réjean Tremblay avait une chronique de sports à CKOI, la station sœur de CKVL. On a démenti, se renvoyant la balle entre la réalisation, la production et je ne sais quoi d'autre. Des fois, on me prend pour un cave. Quant au choix de Jasmin pour tenir mon rôle, on aurait pu en prendre un plus jeune!

PHOTO: JEAN-MARIE BIOTEAU

À titre d'observateur et d'informateur, Gilles Proulx assiste effectivement à la mise en scène et au montage des décors de la crise, scrute le comportement des protagonistes de la tragédie d'Oka, apprécie les costumes qui lui rappellent les meilleurs films de John Wayne et se fait une idée sur la réalisation. Le soir de la générale, le 11 juillet 1990, il refuse de se faire le complice du mensonge.

– C'était incroyable d'entendre tous ces animateurs de radio qui transmettaient des messages de tolérance devant l'attitude de ces terroristes américains. Ces troubles-là remontaient à 1987, à une époque où j'en parlais déjà en ondes quand des gens se faisaient battre aux abords des réserves ou entendaient siffler des balles autour de leurs oreilles. Mais ça n'avait pas d'impact, j'étais le seul à en parler. On a commencé à m'écouter quand j'ai dénoncé ces pégreux à la solde des bandits de Las Vegas qui voulaient imposer leurs cigarettes, leurs casinos et la contrebande d'alcool. C'était incroyable de voir l'inaction des gouvernements qui se foutaient complètement de ces 150 000 personnes privées de leur pont, de leurs routes, de leurs propres maisons, de leurs droits, violées dans ce qu'elles avaient de plus précieux, leur liberté! Pendant que des imbéciles instruits nous parlaient de cas isolés, une poignée de vautours tenaient en otage toute une population, saccageant sans vergogne le travail de toute une vie, la gueule fendue jusqu'aux oreilles! Robert Bourassa savait que son gouvernement faisait affaire avec des bandits, me disant combien c'était difficile d'essayer de négocier avec ces gens de la pègre. À deux reprises, il m'appelle et me demande ce que je ferais à sa place. Je lui dis de faire encercler la réserve, de couper l'eau et l'électricité, les obligeant ainsi à lever le drapeau blanc. Ce n'est pas ça qu'il a fait. Partout, les barrières étaient ouvertes et on faisait circuler plus de nourriture que les bandits en avaient besoin. Tout ce temps-là, des têtes carrées me traitaient de raciste et d'empoisonneur des ondes. Je suis monté aux barricades pour parler à tous ces pauvres gens, pour leur dire de ne pas avoir peur de ces hypocrites masqués, un mouchoir dans la face pour torcher leur morve! Je leur transmettais simplement l'importance d'être fiers de leur passé et de ne pas avoir de complexes en tant que descendants de la France qui n'avaient jamais pratiqué de génocide organisé. Et quelle ne fut pas ma surprise d'entendre le ministre Sam Elkas me dénoncer parce que, selon lui, j'avais incité des gens à tirer des

cailloux sur les voitures de *Mohawks* qui empruntaient le pont Mercier à la hauteur de Ville LaSalle. Je n'étais même pas en ondes au moment où ça s'est produit, en plein après-midi. J'avais sans doute suivi les conseils de Ryan: je m'étais isolé! À la laine misérable, dirait Sol!

Hué par la foule du complexe Desjardins, où il anime son émission au lendemain de la crise amérindienne, Gilles Proulx se voit traiter par Claude Ryan d'«oiseau de malheur». L'animateur lui répond qu'il n'a que défendu nos institutions. Depuis Québec, le péquiste Guy Chevrette se porte à la défense de Proulx, affirmant qu'il a donné une leçon d'histoire aux démagogues. Le succès de son livre *Ma petite histoire de la Nouvelle-France* va le confirmer. Pour sa part, James

O'Reiley, l'avocat des Amérindiens, accusa l'animateur d'attiser le feu entre les deux groupes. Gilles le qualifia d'avocat millionnaire grâce à la caisse du ministère des Affaires indiennes.

– Gérald Larose, de la CSN, m'a traité de fasciste, se souvient l'iconoclaste. Venant de lui, ça me faisait rigoler parce qu'il est le pire corporatiste du Québec. S'il me prend pour un antisyndicaliste, j'en suis un dans la mesure où son syndicalisme à lui, notamment chez les ronds-de-cuir, a créé une caste d'employés inertes, inefficaces, bénéficiaires d'avantages indescriptibles par rapport au gars ou à la fille du secteur privé. Quand un rond-de-cuir se gave à même une banque de congés de maladie même s'il n'est pas malade, c'est que cette sorte de syndicalisme a su profiter de la faiblesse de patrons imbéciles. Or, dans le secteur public, c'est nous qui sommes les patrons du Gouvernement!

Pour sa part, Louis Laberge a toujours apprécié la ferveur nationaliste de Gilles Proulx. Il admire autant sa franchise que sa disponibilité. Selon lui, il n'est pas un antisyndicaliste comme il peut parfois le laisser entendre dans ses propos, mais quelqu'un qui sait faire la part des choses et prendre le parti des travailleurs quand il considère qu'ils ont raison.

– C'est vrai qu'on me reproche mon pseudo-fascisme. Mais c'est tellement plus simple: je suis un radical au chapitre de la langue et de l'immigration puisque notre position nord-américaine est trop précaire. Là-dessus, il n'y a rien à discuter. Il faut que le Québec ait sa pleine et entière juridiction, sans quoi c'est la gangrène qui continue de nous ronger. Alors, à cause de mon verbe haut et fort, plusieurs ignorants pensent que je suis fasciste. Si cela leur plaît, tant pis! Quant à la démocratie telle que nous la subissons au Québec, personnellement je crois qu'elle est nuisible. Il s'agit d'une médiocratie plus que d'une démocratie où tous et chacun y mettent leur opinion et leur pression afin d'empêcher notre gouvernement de gouverner. C'est malsain et dangereux pour un peuple aussi faible que le nôtre que de nous enliser dans les palabres. Moi, je favoriserais une démocratie gaulienne: «Élisez-moi et laissez-moi faire; vous me mettrez dehors à la fin de mon mandat si vous n'êtes pas satisfaits.»

Ses auditeurs lui demandent souvent pourquoi il ne fait pas de politique. Il répond qu'il n'a pas envie de les décevoir et, surtout, qu'il ne veut pas user son frein sur la route d'un avenir qui ne vient pas.

Gilles Proulx sait que les avis sont partagés à son sujet. Mais ce qui le choque, ce sont les insinuations de xénophobie ou de racisme à son égard. Comme cet article du journal *The Gazette* du dimanche 24 avril 1994 où, dans un éditorial non signé, l'auteur s'en prend à CJMS et au réseau Radiomutuel, «aux racistes francophones qui empoisonnent les ondes», et demande notamment l'intervention du CRTC. On y rapporte en bref que Gilles Proulx fait souvent des commentaires négatifs sur les groupes ethniques, y compris sur sa propre communauté!

– Au moins, je suis juste, précise Gilles en référant à l'article. Pourtant, s'il y a un gars apprécié de la communauté juive, c'est bien moi. Ardent défenseur d'Israël et admirateur de la Tsahal, il m'arrive même de prononcer des allocutions devant le Congrès juif à la demande de l'un de ses membres les plus influents, Jack Jedwab. Je suis citoyen honoraire du Maroc, j'ai été invité par des Mexicains pour raconter l'histoire de la radio, je défends les Haïtiens contre les Québécois xénophobes alors que Dan Phillips, de la Ligue des Noirs du Québec, me présente régulièrement à ses partisans. Je suis un allié des nations du monde. Le problème, c'est que je me permets d'être virulent à l'égard des voyous de l'une ou de l'autre des communautés et cela suffit à certains pour me cataloguer...

Gilles Proulx est ainsi classé, inscrit à l'inventaire des indésirables, abonné des listes noires, jugé en bloc, sans nuances, d'une manière définitive. À l'index parce qu'il a trop montré le majeur!

Le 26 mars 1994, il est pointé du doigt par le protecteur du citoyen, Me Daniel Jacoby, qui, lors du colloque de la Fédération professionnelle des journalistes du Québec, critique sévèrement sa vision des rapports entre Blancs et autochtones. Il suggère même de le faire comparaître devant le CRTC pour ses propos sur les *Warriors*, les *Peacekeepers* unilingues anglais et les fraudeurs.

– Je suis tanné de ça, réplique l'inculpé. Je suis probablement le seul à mettre le doigt sur le bobo, à

Pour ses prises de position en faveur de la loi 101 en 1987, Gilles Proulx reçoit des mains de Nicole Boudreau, présidente de la Société Saint-Jean-Baptiste, la médaille *Bene merenti de patria*, sa plus haute distinction.

appeler un chien un chien et un chat un chat. Ils généralisent en disant que je m'attaque aux autochtones. Je m'attaque aux *bums*, aux *Warriors*, aux policiers unilingues anglais. Pas aux *Mohawks*. Au fait, est-ce que Jean Chrétien, Clyde Wells ou Ovide Mercredi nous reconnaissent comme nation?

Mal à l'aise, Me Jacoby s'explique en ondes avec Proulx et nuance sa pensée: effectivement, il y a une différence entre propager la haine à l'égard de tous les autochtones et identifier les fauteurs de troubles. Suite à l'événement, l'ex-député néo-démocrate Phil Edmonston fait parvenir une lettre au journal *The Gazette*, dans laquelle il explique clairement que les frustrations de certains animateurs, dont Proulx de CJMS, ne sont pas dirigées contre les *Mohawks* en général, mais contre les criminels armés qui font la loi et se moquent impunément de la société québécoise. Le journal anglophone n'a jamais publié la lettre!

En 1987, la Société Saint-Jean-Baptiste décerne à Gilles Proulx la médaille des patriotes *Bene merenti de patria*. Il a aussi été le premier homme de radio à être décoré du prix Judith-Jasmin par le Cercle des femmes journalistes. Un jour qu'il reçoit le premier ministre Robert Bourassa dans son studio de CJMS, il lui demande à la blague si c'est bientôt qu'il recevra la médaille du Québec. Bourassa sourit et demande à son attaché de presse, Ronald Poupart, d'examiner la question avec Paul Arcand à l'heure du déjeuner. Paul était présent en studio et il connaissait bien Poupart.

– J'ai dit au premier ministre que j'étais tout de même un des plus farouches défenseurs de sa loi 101, un ardent propagandiste du français à défendre, à protéger, à parler le mieux possible. Bourassa n'en disconvenait pas du tout. Arcand revient du restaurant et m'explique: «Poupart a examiné la situation et il a été franc: étant donné la présence de certains juges et pontifes un peu trop intellectuels au comité de sélection, il n'y a pas grand-chance pour que ton nom soit retenu.» Ça m'a déçu car Bourassa semblait reconnaître mes mérites. Je dois dire que 15 jours après cette demi-promesse il y a eu mon envoi merdeux à D'Iberville Fortier... Après ça, je suis sûr que le jury n'a pas eu à forcer très fort pour évacuer ma médaille aux égouts! L'insulte avait refroidi Bourassa à mon égard. Il n'a plus jamais été le même en ondes avec moi, il n'a plus

jamais eu ce ton de cordialité et une certaine bonhomie. J'avais remarqué son: «Arrange donc ça, Ronald» et je voyais qu'il refusait de trancher en ma faveur. Les médailles des gouvernements vont à ceux qui ne dérangent pas.

Beaucoup d'auditeurs se demandaient si D'Iberville Fortier accepterait de reparler à Gilles dans le cadre de son émission. Déjà, quelques politiciens refusent de lui accorder des entrevues, dont Claude Ryan, Yvon Picotte ou Don Cherry, celui qu'il a baptisé «le ministre aux bottes de cow-boy». Il s'en fout, ça lui permet de les taquiner davantage. Mais à son grand étonnement, D'Iberville Fortier se montre aimable avec lui et participe gentiment au dialogue lorsque le communicateur souhaite l'interroger.

Au moment où le politique met un terme à sa carrière, Proulx sollicite une entrevue en direct pour dresser le bilan de sa vie publique. Il accepte de nou-

veau de bon gré. Au terme d'un échange poli, D'Iberville Fortier enchaîne:

– Avant de quitter, monsieur Proulx, vous me
permettrez de vous dire ce que je pense de vous. Vous
êtes un être abject et dégueulasse de m'avoir insulté
comme vous l'avez fait au centre Paul-Sauvé en
décembre 1988. J'ai toujours trouvé ça très grossier de
votre part!
    – Il n'y a pas de quoi, monsieur D'Iberville Fortier.
Je vous souhaite une bonne fin de carrière et je sym-
pathise beaucoup avec vous.
    – Pourquoi?
    – Parce que votre ami, Pierre Elliott Trudeau, à
qui vous avez tété toutes sortes de *jobs* durant votre
carrière, n'est plus là pour vous en trouver une autre...

12

LES MOTS AGILES

Il a ses hauts, il a ses bas. Fatigué, déprimé, son billet d'avion pour la Chine en main, il broie du noir. Il s'imagine que l'avion va tomber! Il décide qu'il se reprendra une autre année et jette le billet au panier.

– Je ne sais trop ce qui m'arrivait. J'ai eu un moment de cafard, un instant de déprime. J'ai annulé mon voyage. L'année suivante, quand j'y suis allé, ce fut l'émerveillement total: pouvoir marcher sur une des merveilles du monde, la grande muraille de Chine, aller réfléchir près du tombeau du grand timonier Mao qui a changé l'histoire universelle. Désormais, il me reste quoi à voir?

Chez lui, sur tous les murs, des tableaux. Dans sa bibliothèque, une centaine de livres, d'histoire surtout: Napoléon, De Gaulle, la guerre d'Indochine, le Viêt-nam.

– Voyager avec Gilles, admet Raynald Brière, c'est côtoyer l'histoire du monde. Il sait tout du pays qu'il visite, il a tout lu. Alors que nous étions au Viêt-nam, notre guide, une jeune femme de l'armée qui avait appris son boniment par cœur et qui ne devait surtout pas en déroger, récitait aux touristes ce qu'on lui avait permis de raconter. Gilles l'écoute attentivement. Soudain, il l'arrête et lui explique que ce n'est pas comme ça que les choses se sont passées. Il corrige ses propos, donne les dates touchant l'époque française et américaine, prononce des noms. Surtout sur l'histoire, il n'accepte pas que l'on raconte n'importe quoi.

Il possède des ouvrages sur l'histoire internationale, celle du Québec et du Canada, de la France et des États-Unis, ainsi que de nombreux livres traitant de politique. Ses disques sont surtout français et classiques. Il avoue avoir une préférence pour France Gall et Enrico Macias. Sa collection de photographies renferme des bijoux qui proviennent de tous les coins du monde, du Kenya aux Andes, de l'Alaska au Québec. Il a été initié jeune à la photographie par une connaissance, Yvan Goulet, qui travaillait pour le studio Larose à Verdun. Il pourrait rivaliser avec plusieurs de nos grands reporters-photographes. Le pianiste André Gagnon a choisi l'une de ses photos pour illustrer son album intitulé *Le Saint-Laurent*. Il affectionne des bricoles sur le hockey glanées çà et là ou reçues en cadeau de son ami Ronald Corey:

«Le Forum, dit-il, a servi d'élément de cohésion nationale et de fierté.» Une cassette lui rappelle qu'un jour il a accepté de parrainer lors de l'émission *Star d'un soir* une jeune chanteuse à ses débuts, Carole Strasbourg.

Même si Gilles Proulx n'est pas encore médaillé d'or du Québec, on lui a rendu hommage à de nombreuses occasions.

Jean Drapeau, à qui il demandait, quelques années après la mort du général de Gaulle, s'il allait perpétuer son souvenir, lui répliqua:

– Attends, il n'est pas mort pour trois jours...

– Si c'est aussi long que votre réponse au juge Malouf, on a le temps de mourir nous aussi, monsieur le maire!

Proulx laissa savoir à Jean Drapeau que, somme toute, sa ville était belle et assez verte, n'en déplaise aux écolos. Drapeau se lia de sympathie avec le reporter et l'invita à partager ses repas à quelques reprises à «son» restaurant *Hélène de Champlain*, lui confiant qu'il était un «péquiste parlable».

Robert Bourassa, tout en le trouvant «piaffeur», l'a qualifié de «plus ardent défenseur de nos institutions québécoises».

– Je n'ai jamais refusé de répondre à ses questions, confiait M. Bourassa en avril 1994. Comme c'est un animateur très versatile et très coloré, on est certain de ne jamais s'endormir dans une entrevue avec Gilles Proulx! Je savais toujours que j'allais participer à un bon débat. Il est très direct dans son style. Il n'a pas toujours une approche diplomatique pour ouvrir

une discussion. De plus, son intérêt pour l'histoire, dont celles du Québec et du Canada, jumelé à une carrière journalistique intense d'au-delà de 30 ans, où il a vécu les grands moments de notre évolution, ont fait de lui un professionnel respecté et envers qui, personnellement et en tant que premier ministre, je n'ai jamais eu de rancune.

Dans l'un de ses ouvrages, *L'Énergie du Nord*, Robert Bourassa lui dédicaça ce mot: «À ce brillant et dynamique défenseur de la liberté d'expression.»

Invité à partager le repas lors d'une soirée privée à la résidence du premier ministre du Canada pour les fêtes de Noël 1992, il a été présenté par Brian Mulroney comme le Larry King du Québec, le Robin Williams de la radio.

On lui demande pourquoi il ne fait pas de télé-vision. Des producteurs tels que Marcel Béliveau et Pierre Robert de la maison Pram, René Ferron, François Carignan ou Pierre Nadeau lui ont fait des offres. Aujourd'hui, il se sait barré partout.

En 1989, l'animateur de CJAD, Joe Cannon, qui menait des émissions serrées et adorait la controverse, a dit de Proulx qu'il était l'un des meileurs commu-nicateurs de la radio.

– J'ai rendu parfois de vrais services, presque en direct. Je pourrais citer des dizaines de cas très con-crets, rien d'héroïque, juste un coup de fil au bon moment pour aider une femme maltraitée, un travail-leur exaspéré à retrouver le calme et la paix, leur problème résolu. De petits riens parfois. Comme ce prisonnier déprimé qui soupçonnait sa femme de s'envoyer en l'air pendant qu'il purgeait sa peine. Ça lui faisait mal, ça le torturait, il la traitait de vache. Je lui propose de l'appeler désormais une «demoiselle des champs, une dame des prairies», ce qui l'a fait rire, l'a calmé un peu. Souvent, grâce à ces dépannages modestes, je me sens encore capable de continuer.

Quand il tient une idée et qu'il est convaincu de pouvoir la mener jusqu'au bout, il fonce et plus rien ne l'arrête. C'est ainsi qu'à l'île des Sœurs, où René Lévesque est décédé, il ne pouvait s'expliquer la len-teur que la Ville «très libérale» de Verdun mettait à perpétuer le souvenir de ce géant. Pendant cinq ans, il s'acharne contre le maire Raymond Savard pour enfin obtenir qu'un boulevard porte son nom. Corinne Côté-Lévesque ainsi que le maire durent reconnaître que le mérite en revenait à Gilles Proulx. Dans son livre *Attendez que je me rappelle* René Lévesque lui griffonna:

«À Gilles Proulx qui, lui, est resté fidèle aux ondes, au point où son nom est devenu synonyme de *radioman*.»

Quant au président de Via-Route, Pierre Laplante, il changea le nom de sa compagnie Rent-a-Reck sous la pression répétée de l'animateur.

Oui, 32 ans de carrière dans le corps. Oui, 32 années de course contre la montre, de stress, d'obstinations, d'attaques et de contre-attaques, de folie et de détentes enrichissantes. Oui, 32 ans dans une cage de verre à traverser le temps, sondages après sondages, sans savoir si les résultats allaient le conduire à la porte ou le glorifier. Que de gens disparus autour de lui. Dont son père, à qui il pense, le midi, entre deux auditeurs, deux publicités. Il en a coulé de l'eau sous les ponts depuis les rues de Verdun, depuis ses premiers loisirs à cinq ans avec Jean-Guy Gauthier jouant le prêtre et lui l'enfant de chœur célébrant la messe improvisée par Jean-Guy qui allait devenir curé à l'île des Sœurs. Il se réfère au sud de la France lorsqu'il pense à la retraite ou à ce petit coin tranquille sous le soleil où se laisser enfin bercer par la vie. Qui sait, peut-être se retrouvera-t-il un jour dans les Marquises, étendu dans un hamac sous les palmiers, jetant négligemment des cacahuètes à un vieux perroquet blasphémateur.

– Je l'ai toujours comparé à Jacques Brel, confie son ex-épouse Marie-Louise. Il est en mouvement, toujours en recherche, toujours solitaire. Seul à hurler dans la foule, debout comme son grand-père Eugène quand les autres s'agenouillent, il fonce à contre-courant. Aujourd'hui, j'ai une grande amitié pour lui. Et aucune amertume.

Quand il regarde en avant, il voit une image floue qui lui fait dire:

– Je ne veux pas vieillir dans l'isolement. Je n'ai plus rien d'un jeune premier, et puis je ne suis pas sentimental de nature. Alors, la solitude?

Le jour où il accrochera ses patins, fermera à tout jamais son micro, quittera pour une dernière fois sa cage de verre, on les verra s'éloigner comme un vieux couple d'amants que rien au monde n'aura su séparer. Alors, il lui prendra doucement la main et, la tête un peu penchée sur son épaule, il chuchotera: «Je t'aime» à sa plus vieille et plus fidèle maîtresse, la radio!

Le texte original est écrit sur format 22 cm x 36 cm. La marge supérieure mesure 6 cm; inférieure 9 cm. La marge de gauche mesure 3 cm et la marge de droite 4 cm à 5 cm. La dimension est de 4 mm à 5 mm. Le scripteur a utilisé un stylo-bille.

ANALYSE DE L'ÉCRITURE
DE GILLES PROULX

APERÇU GLOBAL

Il se dégage d'abord de cette écriture une personnalité ardente et entière, aux convictions fortes. Le scripteur aime imposer son point de vue et il est prompt à l'attaque, à la défense et à la réplique; il peut même devenir querelleur quand on le conteste. De façon paradoxale, autant il saisit facilement la faiblesse des autres en ayant le goût d'agacer, de ridiculiser en manipulant l'ironie et même le sarcasme, autant il peut être chaleureux, aimable et gentil, de façon spontanée et sincère, avec ceux qu'il aime.

Il possède une intelligence supérieure; il est intellectuellement honnête. Il peut cependant faire preuve d'une certaine exagération dans les manifestations de sa pensée et de ses sentiments, de façon disproportionnée vis-à-vis la réalité objective, ce dont il n'est pas lui-même très conscient.

Une tendance à se surévaluer nuit un peu à sa maturité: il a des difficultés à accepter les idées des autres, qu'il lui arrive de contester même avant d'en avoir saisi tout le sens ou encore d'accepter pour les exprimer à sa manière. Il s'adapte donc mal à une façon de penser générale. Il est cependant capable d'aller directement à l'essentiel et de hiérarchiser les valeurs et les problèmes.

Son expression verbale est raffinée; il affronte les questions en distinguant et en sous-distinguant.

229

CARACTÉRISTIQUES INTELLECTUELLES

Le scripteur possède un esprit vif, agile, observateur, et il comprend rapidement. Sa capacité de concentration et d'assimilation est également excellente, mais il préfère retenir les quelques aspects intéressants d'une question ou d'un problème sans l'approfondir vraiment dans son ensemble. Ayant une intelligence pratique, il est peu doué pour la spéculation intellectuelle. Sa pensée est claire et il peut exprimer ses idées avec concision et sobriété.

Son processus intellectuel est essentiellement logique et déductif; il a de la suite dans les idées et il mène son raisonnement jusqu'au bout. Il possède également une bonne capacité de synthèse qui lui permet d'abréger, de résumer et d'exposer l'essentiel.

Il n'est pas dépourvu pour autant d'intuition. Il est fort capable de deviner un interlocuteur. Il possède un certain flair qui lui permet de comprendre spontanément une situation, une personne, une idée, sans suivre le fil d'un raisonnement.

Sa pensée est originale et pleine d'invention, d'imagination et d'initiative. Le scripteur a une intelligence active et créatrice. Il conserve cependant un bon contrôle de son imagination.

L'objectivité de son jugement est un peu diminuée par son impulsivité et par la surestimation de son moi. Il a tendance à évaluer les faits et les situations dans leurs aspects les plus apparents sans toujours approfondir les valeurs intérieures et cachées. Il lui arrive aussi de se fixer sur une idée qui dérive vers une prise de position subjective. Néanmoins, quand il réussit à contrôler son impulsivité et à bien utiliser sa capacité de réflexion, il peut faire abstraction de ses sentiments et de ses émotions pour arriver à une prise de position objective.

Son esprit critique est fort et peu facilement devenir esprit de contradiction.

AFFECTIVITÉ

Le scripteur possède une nature affectueuse et il a un fort besoin d'effusion, mais il aime mieux recevoir que donner. Lorsqu'il aime, il manifeste beaucoup de spontanéité, de gentillesse et de sincérité. Il est capable de bonté et de chaleur; ses sentiments sont profonds. Il peut porter attention à son entourage et percevoir les difficultés des autres. Par ailleurs, il peut montrer de la rudesse et heurter la sensibilité des autres, sans trop s'en rendre compte, avec des manifestations d'impatience et d'agressivité. Il est sincère, mais reste souvent abrupt malgré qu'on l'ait invité à chercher la juste mesure dans ses attitudes et ses prises de position.

Il est sensible à la flatterie mais on ne gagne sa sympathie que par des attitudes claires et sincères. Il s'offense facilement devant un manque de délicatesse à son égard.

Cette personne a une approche sensorielle et affective de la vie; elle s'appuie sur un monde sensoriel d'images propre aux artistes et aux communicateurs. Dans ses relations amoureuses, elle est guidée par le charme et la beauté. Ses instincts naturels sont forts; elle a un attrait manifeste pour toutes les joies de la vie et pour la jouissance des choses concrètes. Elle a de très bonnes aptitudes pour des activités physiques.

Fort heureusement, le scripteur possède un bon contrôle de sa nature impétueuse. Sa volonté pondère son agressivité naturelle.

RELATIONS HUMAINES

Le scripteur aime échanger avec les autres et ses capacités relationnelles sont bonnes. Il possède une bonne éducation et une bonne culture sociale, mais ses contacts avec son entourage sont souvent combatifs. Il se préoccupe des autres, il a besoin de leur contact, mais il devient facilement méfiant et il lui arrive alors d'attaquer sans même avoir été provoqué. Il peut quand même s'adapter et entretenir des relations positives avec son entourage; il est d'ailleurs capable d'établir rapidement des contacts personnels en toute situation.

C'est une personne essentiellement extravertie qui a un besoin instinctif de s'extérioriser et de communiquer.

QUALITÉS D'ACTIVITÉ

Le scripteur possède un dynamisme impétueux, une agressivité positive et une combativité organisée. Il s'engage beaucoup dans son action; c'est un courageux batailleur dont l'esprit de lutte a besoin d'agir pour ou contre quelqu'un ou quelque chose, mais il est incapable de faire du tort volontairement. Il aime bien aussi se faire voir et il est un peu fanfaron.

Il est optimiste et ses emballements sont faciles. Il passe très rapidement de l'idée à l'action. Son ambition est normale et porte surtout sur une réussite de carrière et sur des besoins matériels. Il est généralement stable dans la poursuite de ses objectifs, persévérant dans l'effort et fidèle à ses engagements.

Dans toutes ses activités, il aime l'ordre et le travail bien fait.

Pour ce qui est de l'initiative et de l'esprit d'entreprise, on trouve de nouveau chez le scripteur le même contraste étonnant. D'une part, il peut se lancer dans des entreprises de grande envergure en minimisant la portée des risques, en ne se fiant qu'à lui-même et sans évaluer à fond les possibilités d'arriver à bonne fin. D'autre part, son écriture indique aussi une tendance à conserver les valeurs sûres, une certaine crainte de l'inconnu et de l'imprévu et une volonté de se mettre à l'abri des contingences.

D'une part, l'impétuosité instinctive; d'autre part, la prudence réfléchie et le contrôle.

Au plan du dévouement, le scripteur est capable d'épouser une cause et de s'y dévouer. Il est aussi capable d'apporter son appui et de participer à un projet commun; il est disponible pour aider les autres.

QUALITÉS DE DIRECTION

Le scripteur peut s'affirmer avec aplomb. Il a le commandement facile et aime imposer sa façon de voir.

Il a confiance dans ses propres moyens et possibilités, peut-être un peu trop même. Son esprit est indépendant et il possède le niveau d'autonomie et la liberté d'action nécessaires à un personnage public.

Il possède un fort potentiel de décision et d'action immédiate. Sa capacité de réalisation est aussi excellente. Il a un bon sens de l'organisation; il choisit bien ses objectifs et il est habile à trouver les moyens de les réaliser rapidement sans trop s'arrêter aux détails.

QUALITÉS MORALES

Cette personne a le respect des valeurs civiques, sociales et morales. Elle aime la vérité et ressent une répulsion naturelle pour les personnes immorales.

Le scripteur est fiable; lorsqu'il accepte de faire quelque chose, on peut être assuré que ce sera fait. Il a une conscience éthique et pratique des responsabilités.

Tout indique qu'il est franc et honnête avec un sens du devoir bien développé.

CONCLUSION

Points forts: esprit vif et agile, fort dynamisme.
Points faibles: surestimation de soi, impulsivité.

CLAUDE ST-ARNAUD,
GRAPHOLOGUE AGRÉÉ DES SERVICES GRAPHOLOGIQUES CSA

TABLE DES MATIÈRES

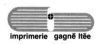
imprimerie gagné ltée

IMPRIMÉ AU CANADA